株式会社タイムカプセル社

TIME CAPSULE CORP.

——十年前からやってきた使者

喜多川泰

Yasushi Kitagawa

Discover

新しい人生を始めよう。何度でも…………。

··· CONTENTS ···

プロローグ
004

株式会社タイムカプセル社　—— 十年前からやってきた使者
015

嶋明日香@大阪・心斎橋
037

重田樹@東京・原宿
093

森川桜@北海道・苫小牧
141

芹沢将志@NY・Manhattan
175

波田山一樹@東京・国分寺
235

その先の光
267

再スタート
311

エピローグ　十年後@表参道
330

新版　あとがき
352

プロローグ

ぎこちなく笑顔をつくる少年がベッドに横たわる少女に話しかける。

「気分はどうだい？」

少女は、閉じていた目をゆっくりと開くと、視線を少年のほうに向け、力なく微笑む。

「ヨウスケくん……来てくれたんだね……」

聞き取れないほどの小さな声に、少年は思わずベッドの横にひざまずき、少女の間近に顔を寄せる。

「嬉しい……」

少女の頰を涙が伝い、それを見つめる少年の目にも涙が溢れる。

やがて、もはや少女を見ることもできないほど涙を流し続ける少年の様子に、少女は小さく微笑んで言う。

「今度は、わたしが笑われる番ね」

そして、まるで重たい荷物を抱えるように首を回して、後頭部を少年に向ける。

「ほらね……寝グセ。すごいでしょう？」

けたたましい音とともに、英雄の携帯電話が振動した。

「いちばんいいとこなのに……」

英雄《ひでお》は、手に持っていたカップ麺をガラステーブルの上に置き、携帯を見た。表示された電話番号に見覚えはないが、相手の見当はついている。慌ててリモコンを取って、観ていた映画をストップした。急いで口の中の麺を喉に流し込むと、熱いものが自分の食道を下りていくのがわかる。熱さを我慢して息を整えると、

「はい……」

と、よそゆきの声で、丁寧に電話に出た。

「もしもし、わたくし、株式会社タイムカプセル社の若林《わかばやし》と申しますが、新井《あらい》英雄さんの携帯電話でお間違いありませんか？」

予想どおり、英雄が面接を申し込んだ会社からだった。英雄は背筋を伸ばして座り直した。

「はい。間違いありません。新井と申します。明日、よろしくお願いいたします」

「その件でお電話したのですが、実は明日の面接がこちらの都合でできなくなってしまいまして。そこで誠に申し訳ないのですが、日程を変えさせていただきたく、お電話差し上げました。つきましては、本日の十三時か、来週の金曜日の午後のどちらかでお願いしたいのですが……」

英雄は時計を見た。十一時前だ。まだ間に合うだろう。一日でも早く仕事を見つけたい英雄にとって、面接を受けるためだけに、あと一週間以上も待たされるのは死活問題だ。

「それでは、本日十三時に御社に伺います」

「そうですか。無理を申し上げて、申し訳ございません。それでは、本日十三時にお待ちしております。お気をつけてお越しください」

「ありがとうございます」

そう言いながら、英雄は見えない相手に向かって、頭を下げた。

相手が先に電話を切るのを確認したあと、携帯を耳から離すと、大急ぎで先ほどのカップ麵の残りをすすった。一緒に買ってきたコンビニのおにぎりを食べている暇はなさそうだ。カップ麵の残骸をガラステーブルに置いたまま、英雄は飛び起きるように立ち上がると、DVDとテレビの電源を切り、散らかった部屋を横切ってクローゼットに向かった。

幸い、クリーニング済みのスーツが一着だけあった。

ビニールの覆いを無造作に破り取る。そして、出てきたスーツを見つめて、英雄は、少しだけ切ない気持ちになった。初めてオーダーして作ったスーツだ。いつどこで作ったものかもはっきりと覚えている。慌てて頭を振って、その思い出をかき消した。感傷に浸っている暇はない。

「まずはシャワーだ。急がないと」

着ていたスウェットの上下を脱いで、すでに洗濯物でいっぱいの洗濯かごの上に積み上げた。

英雄は思わず苦笑いをした。

どちらかというと几帳面できれい好きだと自認していた自分が、仕事がなくなっただけで、散らかった部屋で洗濯物をため込んでいる。時間はたっぷりあるはずなのに整理する気分になれなかった。ところが、自分の未来にわずかでも希望が見え始めると、こんな生活をしていたらダメだという思いがふつふつと湧いてくる。

シャワーから出ると、あまりの寒さにガタガタ震えた。電気代の節約のために暖房器具を使っていない部屋は、十二月ともなると、さすがに寒い。

英雄は急いで身体を拭いて、身支度を整え始めた。

英雄は緊張したまま、背筋を伸ばして座っていた。

目の前に座っている男は、この会社の社長で創業者だと名乗ったが、どう見ても英雄よりもだいぶ若い。そのくせ、創業十五年だというから、この社長はかなり若い頃に会社を立ち上げたのだろう。

スーツの袖から見える、存在感のあるカフスボタンと、きっちりとノリのついていそうな袖口が、身だしなみに気を遣っている人だということを物語っているが、それでいて着こなしが自然でいやらしさはない。

英雄は面接で質問される内容を、ここに来るまでの短い時間に考えられる限り想像してきた。そして、それらの質問に自分が答える姿をイメージしては、絶望的になった。いい印象を与えられる答えができるような質問は来ないだろう。それどころか、答えにくいことを根掘り葉掘り聞かれるはずだ。

特に手に職があるわけでもない四十五歳の自分を「よく来てくれました」と迎えてくれる会社など、どこにもないのはわかっている。

これまでの自分の経歴について、あれこれ説明したところで所詮、言い訳にしか聞こえない。それは、逆に印象を悪くするだけだ。曲がりなりにも、以前は面接をする側の人間だった英雄には、それがよくわかる。自分をよく見せようとして話す姿は、なんとも胡散臭く、心証を著しく害するだけだ。

もはや、作戦などない。聞かれたことに素直に答えるしかないのだ。

とにかく今は、この会社に情熱をもって残りの人生を捧げるつもりだという強い思いを前面に出していくことだ。


社長の西山《にしやま》は、英雄の差し出した履歴書を隅から隅まで丁寧に読んでいった。時折、笑顔を見せたり、何に納得しているのか、ひとりでうなずいたりしている。そのたびに英雄は目の前の西山の視線の先を追おうとしたが、どの部分を見て納得しているのかは、見てとれなかった。

そうやって、最後まで読み終わるまでの五分ほどの間、お互い、沈黙のまま向かい合っていたことになる。英雄にはその時間が一時間ほどにも感じられた。緊張で口の中がカラカラに乾いている。

自分が面接してきた人たちも、こんな気持ちだったんだろう。

なぜだか急にそんなことを思い、西山の背後の窓の外をぼんやりと見た。その瞬間、西山が履歴書を机の上に置いて、笑顔をこちらに向けたので、英雄は慌てて、表情をつくり直した。

「何か質問はありますか、新井さん？」

「え？　いえ、私のほうから質問というのは特にはありません」

「そうですか。それじゃあ、よろしくお願いします」

英雄は西山の言葉の意味を呑み込めず、会話をつなぐべきセリフを探したが、やがて、どうも自分は採用になったんじゃないかと感じ始めた。それでもまだ、自信はない。

「えっと、私は……あのぉ……採用ということでよろしいんでしょうか」

英雄は恐る恐る尋ねた。

「新井さんさえよければ……ですが」

英雄は思わず、身を乗り出した。このチャンスを逃したら、次にいつ仕事が見つかるかわからない就職活動にまた逆戻りだ。

「も、もちろんです。採用していただくつもりで来ましたから」

西山は、満足げにゆっくりと数回うなずいた。

「それでは、来週の月曜日からよろしくお願いします。制服を作っておきますので、今日はサイズを測ってもいいですか？　それが終わったら、帰っていただいて結構です」

「あ……わかりました。よろしくお願いいたします」

英雄のその声を聞いて、西山は立ち上がった。慌てて英雄も立ち上がる。

「それでは、私はこれで失礼します」

西山は、そう言って丁寧にお辞儀をすると、部屋から出て行った。

英雄は直角に近いほどのお辞儀を返しながら、「ありがとうございました」と、丁寧に言った。


ほどなく、部屋に、若い女性が入ってきた。

「失礼します。新井さんの制服をお作りするために、お身体のサイズを測らせていただきます」

若い女性はそう言ってお辞儀をすると、片手に持っていたメジャーをさっと両手で広げて、一歩前に近づいてきた。

「あっ、どうも」

英雄は、あまり適切ではない返事をしてしまったあとで、その女性との距離のあまりの近さに息を呑んだ。声に聞き覚えがある。

「失礼します」

その女性は、そう言うと、英雄の前から手を首の後ろに回してメジャーを巻き付けた。

英雄の首回りの長さを測っているのだ。

甘い香りがした。大きく空いた襟ぐりから、鎖骨が見えた。英雄は目のやり場に困って、天井を見上げ、息を止めた。緊張で全身が硬くなっているのがわかる。

一方で、目の前の女性は、慣れた手つきで、今度は肩口にメジャーの片側を当てて、手首までの長さを測り、続けて、背中に回って肩幅を測っていく。

採寸した数値をバインダーに挟まれた紙に書きつけていく女性の姿を、英雄はチラッと横目で見た。

「綺麗な人だ……」

そう思った瞬間、目が合った。

「何か?」

微笑みながら話しかけられて、英雄は慌てた。

「いや……、あの、お電話いただいた方ですよね?」

若林麗子《れいこ》はにっこりと微笑んだ。

「そうです。若林です。よろしくお願いします」

そう言って、今度は、抱きつくようにしてメジャーを英雄の後ろに回した。胸回り。そして、胴回り。英雄は、少しでも贅肉を誤魔化そうと、思いっきりお腹を引っ込めた。一年前まではジムにも通っていたので、年の割には締まった体つきをしていたのだが、たった一年でもずいぶんとだらしのない腹になる。

麗子がクスリと笑った気がした。

英雄は、なんとなく恥ずかしくなって、慌てて言い訳をした。

「一年前までは、ジムに通っていたんですが……」

話を遮《さえぎ》るように、麗子は英雄の顔の前に、五センチほどの長さのちぎれた緑色の細長い紙を差し出した。

数字が印字されていて一端がホッチキスで止まっている。

「これ、付いてましたよ」

英雄は、麗子が笑った理由を悟り、慌ててパンツの背中側のベルト通しを押さえた。クリーニング屋が付けた、紙のタグを取り忘れていたのだ。恥ずかしさに気が動転した。

そうこうする間に、採寸が終わった。

「お疲れさまでした」

麗子が一歩下がると、英雄は全身に入っていた力を緩めた。

「月曜日はちょっと早いのですが、午前七時にお待ちしております」

そう言って、麗子は深々と頭を下げた。

英雄はようやく我に返り、ここが部屋を出るタイミングだと理解し、イスの下に置いておいた書類鞄を手に取った。

「それでは、これからよろしくお願いします」

そう言って丁寧にお辞儀をすると、部屋を出た。


小さなオフィスには人影がなかった。ほかには誰もいないらしい。先ほど部屋を出たはずの社長の西山の姿もない。しかたなく、誰に挨拶をするでもなく無人のオフィスを横切り、廊下に出た。そして、入り口横のプレートの社名を見つめた。

「株式会社タイムカプセル社」

思わずため息がもれた。

それは、英雄自身にも説明するのが難しいほど、いろいろな感情が複雑に絡み合った思いの吐露だった。

英雄にとって、新しい人生が始まろうとしていた。やり直しの人生が。

株式会社タイムカプセル社　——　十年前からやってきた使者

「仕事中は制服を着てもらいます」

面接でそう言われたことで、英雄はどんな服装で出勤すべきか、少しだけ迷った。みんなラフな格好で出勤して、会社で制服に着替えているのかもしれない。

「何か質問はありますか」と聞かれたときに、本当に聞いておきたいことが思い浮かぶことなんてないものだ。

英雄はクローゼットの中から、面接のときに着ていたスーツを選んだ。いちばん間違いのない選択だろう。

新横浜の駅を出たときは、日の出前で辺りはまだほの暗い。朝の冷え込みは日に日に厳しくなっている。吐く息が白い。英雄は背中を丸めて早歩きを始めた。オフィスビルの十階にあるタイムカプセル社の前に立つと、腕時計をちらりと見た。

「六時四十五分」

英雄は小さく声に出した。

やはり、いくつになっても初出社というのは緊張する。まあ、四十五歳にもなって、そんな日が来るなんて、思ってもいなかったものだが。

英雄は、ドアノブに手をかける前に、大きくひとつ深呼吸をした。

「俺は、新入社員だ。これから自分よりも若い奴らにあごで使われる毎日が始まる。覚悟を決めろ」

自分に言い聞かせるように頭の中で繰り返した。そうやって、何度も自分に言い聞かせて予防線を張っておかなければ、いきなり出会った若い上司に上から目線でモノを言われたときに、思わずむっとした表情を見せてしまうかもしれない。自分がそういう環境にとりわけ慣れていないことはわかっている。何せ前職は経営者なのだから。

しっかりと自分に言い聞かせると、勢いよく入り口を開け、大きな声で言った。

「おはようございます」

オフィスは目がくらむほどの明るさに満ちていた。日が昇ったようだ。

東側の窓から朝日が差し込み、オフィスの中をオレンジ色に染めている。

その中に、男がひとりたたずんでいた。

逆光になって顔はよく見えないが、背の高い細身の男が真っ白のスーツ上下に身を包み、真っ白いハットを被っている。太陽から突如現れたようなその姿に、英雄は思わず息を呑んだ。

「おはようございます」

声で、その男がかなりの若者であることが推測できる。

「おはようございます、新井さん」

別の角度から聞こえてきた女性の声に反応して首を回すと、先日、英雄の身体のサイズを測ってくれた若林麗子の笑顔があった。

「ああ、おはようございます。ええと……」

「若林です」

麗子は左手を、太陽を背に立つ男に向けた。

「それから、吉川《よしかわ》です」

英雄は顔をそちらに向け直した。

「はじめまして、吉川海人《かいと》です」

海人は帽子のひさしに軽く左手を触れてお辞儀した。

「はじめまして。本日から、この会社にお世話になることになりました、新井英雄です」

「それでは早速、着替えてください。制服はもうあっちの部屋に用意されてます」

麗子の英雄に対する接し方は、先日のお客さまという扱いから一転して、会社の同僚に対するものへと変わっていた。

「はい……わかりました」

麗子に促されるままに、先日面接が行われた部屋に入ると、ハンガーポールに、先ほど吉川海人が着ていたのと同じ白いスーツが掛かっていた。ポールの先端には、白いハットも掛かっている。

「こ、これに着替えるんですか？」

麗子の満面の笑みが「イエス」と言っている。

扉が閉じられてひとりになると、英雄はしばらく目の前の真っ白なスーツを見つめた。

はたしてこれが自分に似合うのだろうか……。

「まあ、着替えるしかないよな……」

英雄は白いスーツに手を伸ばした。

着替え終わって、ハンガーポール横の姿見に映った自分の姿に思わず鼻が膨らんだ。

思った以上に似合っているんじゃないか？

「悪くない……よな」

と、独り言が口から出た瞬間、ドアをノックする音が聞こえた。

「どうですか？」

麗子の声だった。

「終わりました。今、行きます」

英雄は扉を開けてオフィスに戻った。

「いいじゃないですか。似合いますよ」

吉川海人が、声をあげた。今度は顔がよく見える。透き通るように肌が白い。結構感じのいい青年だ。

「うん。ぴったりじゃないですか」

麗子の言葉に、英雄は思わず顔を赤らめる。

あれほどお腹を引っ込めて測ったにもかかわらず、スラックスのウエストサイズがピッタリだったからだ。麗子が、それを見越して大きめのサイズで注文したに違いない。

麗子は、パンと手を鳴らすと、気を取り直すように海人に向かって言った。

「さあ、じゃあ、今日の仕事の打ち合わせをしましょうか」

「ああ、そうだね」

海人が笑顔で応じた。


海人と麗子の二人は、オフィスの真ん中にあるテーブルに歩み寄った。

「新井さんもどうぞ。今日からの僕たちの仕事について説明します」

吉川海人に促されて、英雄もテーブルに近づくと、麗子はそこに、一束の書類と五通の手紙を置いた。書類は何かのリストのように見える。英雄がのぞき見る間もなく、海人がその書類を手に取った。机には、子どもが書いたような五通の手紙だけが残された。

「今回は、二〇〇五年、瀬戸内海のある島の中学校で、生徒が卒業記念に十年後の自分に宛てて書いた手紙です」

麗子が別の資料を見ながら説明した。

「二十五歳になってるってことか……」

海人が入れた合いの手を無視して、麗子が話を続ける。

「手紙を書いた生徒二十三名中、十九名は宛名どおりの住所または、その住所に住んでいる家族に問い合わせて居場所がわかり、配達が終了しています。ですから、生徒が四名、一緒に出した非常勤の教師一名、計五名が今回の配達困難者です」

海人は手にしたリストに目をやったままで、麗子に尋ねるともなく言う。

「五人もいるの？」

「たしかに多いわね」

英雄はテニスのラリーを見る観客のように、吉川海人の顔と若林麗子の顔を交互に見やるばかりだ。

書類をめくっていた海人の表情が急に曇った。

「四人目の芹沢将志《せりざわまさし》さんって……」

「仕事ですから。二週間以内にお願いします」

海人の言葉を無視するように麗子は言い切ると、一礼してクルリと背を向けた。

海人は難しい顔をしたまま、しばらくリストを見つめていたが、大きく鼻から息を吐き出すと表情を緩めた。

「麗子さんったら……、たまには僕の愚痴も聞いてくださいよ」

そう言いながらも、慣れた手つきで、その書類と五通の手紙をアルミ製のアタッシュケースにしまった。

「行きましょうか、新井さん」

「は、はい……」

英雄には何が何だか訳がわからない。わからないまま、すでにドアに向かって歩き始めた海人のあとを慌てて追った。

オフィスのドアを閉めるとき、英雄が振り返ると、麗子が手を振っていた。笑顔を見せているような気がするが、相変わらずの逆光で表情はよく見えない。

「行って参ります」

英雄は小さな声で言って丁寧にドアを閉め、エレベーターのドアを開けたまま待ってくれている海人のもとへと駆け寄った。

「お待たせしました」

エレベーターに乗り込んだ英雄に海人が尋ねた。

「新井さん、うちの会社のこと調べてから面接に来ました？」

「一応会社案内は読んできましたけど、詳しいことはまだ。実はあまりよくわからないまま面接に来たんですけど、説明を聞く間もなく即採用になってしまって……」

海人は口元だけで笑った。

「給料がよかったからでしょ」

英雄は顔を真っ赤にして、首を振った。

「いえいえ、そういうわけじゃなく……この歳で職探しをしても、年齢で引っかかって面接までこぎ着けないのが普通だったんですが、こちらの会社は年齢、経験不問でしたし、資格も不要でしたから……」

「そしたらあっさり採用だった？」

海人が先に言った。

「はい……何が何だかわからないまま、今ここにいます……」

「社長が即採用するなんて珍しいんですよ」

英雄は驚いた。

「そうなんですか？　私もまだ驚いているんです。何も質問されずに、その場で採用でしたから」

「じゃあ、履歴書によっぽどスゴい経歴や特技が書いてあったとか？」

「そんなことはないです。むしろ突っ込みどころ満載だと思うんですが……」

英雄は自分が書いた履歴書を思い出そうとしたが、自分の履歴以外に特別変わったことを書いた記憶はなかった。

ティンという上品な音とともに、エレベーターはB3で止まった。

「移動は電車のことも多いんですが、今日は車です」

海人はそう言うと、手元のリモコン・キーに触れた。

キュッキュッという音が人気のない地下駐車場に響き渡ると同時に、一台の黒い高級車のハザードランプが点滅した。どうやらあの車に乗るらしい。

「結構な高級車を使わせてくれるんですね」

英雄は素直な感想を口にした。白い車体に会社のロゴが塗装されている、いわゆる「営業車」とは大違いだ。

「社長の意向です。この格好といい、車といい、会社のイメージを大事にしてるんですよ」

吉川海人は、コツコツと足音を響かせながら、車に近づき、運転席に乗り込んだ。英雄も小走りでそのあとを追い、助手席に座る。

ほどなく、二人を乗せた車は滑るように動き出し、螺旋状のスロープを上って地上に出た。太陽はすっかり上がっていて、雲ひとつない冬晴れだ。

「時間もありますし、うちの会社の業務について、今のうちに僕が説明しますね」

「あっ、はい。それは助かります」

海人は声をあげて笑った。

「新井さん、やめてくださいよ。人生という意味では新井さんのほうが僕よりも大先輩ですよ。ふつうにタメ口でいいですよ」

「そういうわけにはいきません。吉川さんは私の上司ですから、吉川さんに敬語で話すのは当然のことです」

英雄は、新人としての自分の覚悟が鈍らないように敢えて海人の申し出を退けた。

海人は頭をかいた。

「しょうがないなぁ。でも、せめて『吉川さん』じゃなくて『海人くん』って呼び方にしてくださいよ。ほかは今のままでもいいので」

「いやぁ、上司に『くん』は……ちょっと。やっぱり『吉川さん』って呼ばせてくださ
い」

「それじゃあ、僕がイヤなんですよね。わかりました。じゃあ、『室長』って呼んでくだ
さいよ。僕、一応役職でいうと室長なんで……」

「わかりました。それでは『室長』と呼ばせていただきます」

英雄はかしこまって言った。

海人はケタケタ笑った。

「面白い人だなぁ、新井さんは」

「初めて言われました」

英雄は苦笑いをした。

「さて、で………何の話でしたっけ?」

海人は運転しているせいか、本当にもとの話題を忘れてしまっているようだった。

「室長が、この会社の業務内容を教えてくださると……」

海人はチラッと英雄のほうを見た。「なにかやっぱり、その話し方、嫌だな」という目
だ。お互い慣れるしかしょうがないようだ。海人は肩をすくめた。

「そうでした。ええと、タイムカプセル社のおもな仕事は、簡単に言えば手紙などをお預かりして、配達する。ただそれだけなんですが、その手紙というのが、十年後の自分に宛てるとか、二十年後の息子に宛てるとか、とにかく、長期間保管した後に届ける、というのが特徴です」

「いわゆる、タイムカプセルを会社が請け負うということ……ですよね」

「平たく言えばそういうことです」

「そこまでは、何となくわかっていますが……」

海人はチラッと英雄の表情を見た。

「そもそも、それ、使う人いるのかって顔してますね」

自分は思っていることが顔に出るタイプではないと思っていたが、海人にはそれがわかるらしい。驚いて目の前の若者を見つめ返した。

「たしかに幼稚園や小学校で二十歳の自分に向けた手紙を書くってイベントをやってるところはありますよね。切手を貼って預かっておいた学校や幼稚園が、何年後かに発送するわけです。でも、それだと何通かどうしても届かない人が出てきてしまいます」

「はい……そうですよね」

英雄は海人の横顔を見ながら相づちを打った。

「そういった手紙は学校に返ってきてしまいます。でも、返されてもどうしようもない」

「捨ててるんですか？」

「さあ、それはどうでしょう。でも、どうしようもないのは間違いないので、何年かは置いておくんでしょうけど、その後、どうしているのかは僕にはわかりません」

「はい……」

英雄は、海人の説明を聞きながら外の景色をチラチラ眺め、向かう先を自分なりにつかもうとした。車は新横浜から環状二号線を磯子方面に向かっている。左手を新幹線が並行して走っていた。車はどこに向かっているのかが気になる。

「我々は、必ずすべての人に配達するというのがモットーです」

「必ず、すべての人に……ですか」

「もちろん例外もありますよ」

「どんなときですか？」

「受取人がすでにこの世にいない場合とか」

「ああ……なるほど」

「その場合は、受取人にとっていちばん大切な人に、できる限り届けるようにします」

「それで、会社としての儲けは出るんですか？」

「保険と同じようなものです」

「保険？」

「たとえば、幼稚園で六歳の子どもたちが十歳になった自分に向けて手紙を書くとしますよね。その場合、手紙を入れた封筒に予め自分で自分の住所を書いて八十二円切手を貼っておけば、あとは幼稚園が預かっておいて、四年後に忘れず投函するだけです。ところが、この方法だとどうしても配達できない人が出てしまう。そこで、一通あたり五百円で当社が保管、投函、配達まで責任を持つとするわけです。もちろんほとんどは百円以内で配達できるものですが、なかには返ってきてしまうものもあるわけです。返ってきてしまった手紙は現在の居所を調べて、全員に配達します。どの方にも将来住む場所が変わる可能性はあるわけですから、そのための保険代として、通常の配達費用よりも多めにいただいておくわけです」

「はい……」

「うちを利用してくれる人が増えれば増えるほど、一通あたりの値段を抑えることができます。もちろん、お預かりするときの年齢、保管期間によって料金は大きく異なります。ダッシュボードを開けてみてください」

英雄は言われるままに助手席のダッシュボードを開けてみた。Ｂ５サイズのリーフレットが出てきた。

「うちの会社のチラシです。そこにQRコードがあるの、わかりますか？　携帯で読み込んでみてください」

英雄はポケットから携帯電話を取り出した。QRコードを読み込んで、表示されたURLを選択すると、タイムカプセル社のホームページにアクセスされた。

「そのホームページの〈ご利用シミュレーション〉というページを開いてみてください。そこに、団体か個人かをチェックするところがありますよね。それから、お預かりするものは何か、依頼者の年齢と、何年後に、誰に届けるか、全部選択できるようになっています。いくつか適当に数字を入れてみるとどれくらいの値段で、何をお預かりできるのかがわかりますよ」

英雄は、小学校六年生が団体で八年後、つまり二十歳の自分に宛てて手紙を送る際の値段をシミュレーションしてみた。

「千五百円……」

「それを高いと見るか、安いと見るかは、人によって違います」

「ホームページだけ見ると、宅配業者と変わらないような感じですね」

「実際そうですね。ただもちろんそれよりも割高にはなります。保管費用はそれほどかからないんですが、宛所に受取人がいない場合はトコトン調べて届けるまでが我々の仕事ですからね。そういう人が多くなると、結構厳しくなります」

「そうですよね」

英雄は、携帯の画面から目を離さずに言った。当てはめる条件を変えたらどうなるんだろう。

「実際には全員が、手紙を出したときの住所と違う住所に移ってしまうというわけではないのですが、そうなってしまった一部の人のために全員で負担してもらうんです。もちろん自分もそのひとりになる可能性がありますからね」

英雄は、海人の話を聞きながら、画面に出た数字を見た。

「条件を変えたら、三千五百円になりました」

海人はうなずいた。

「お預かりする年数が長くなれば、当然引っ越しをしている可能性が高くなりますからね。その分費用も高くなります。それから、配達される手紙を本当に必要としている人ほど宛先にいなくなってしまうことが多いんです。そういった意味でも保険に似ていますね。でも、最近は申し込みが増えましたから、これでも結構安くできてると思うんですけどね」

「それで、会社は儲けが出るんですか?」

「もともとうちの会社は、学校や教育機関に備品を売る会社なんです。ですから、営業で学校への出入りも多く、商品管理のための倉庫もありました。そこで始めたサービスの一つだったんです。ところがそれが思いの外好評で、僕らの部署が生まれました。まあ、そのために調査部を新たに作らなければならなかったようではありますが、全体として利益は出ているみたいです」

「なるほど……」

「社長が思いきったのは、そのときに、社名をタイムカプセル社に変えてしまったところです。もちろん今でも、学校に備品を入れるのがメインの仕事なんですがね」

「私と室長の所属する部署は……」

「特配と呼ばれています。特別配達困難者対策室。略して特配です」

「特配……?」

「そうです。新井さんが来る前は、僕と若林さんしかいませんでした。そこの室長が、僕」

〈特別配達困難者対策室〉という名前から、英雄にもその部署が何をする場所か容易に想像がついたが、実際に海人の口から聞いておきたかったので、敢えて質問をした。

「で、特配は何をする部署なんですか」

「ご想像のとおり、ふつうに配達しても届きそうもない人に、直接届けに行って手渡しで渡すという仕事です。ですから、面接のとき、勤務地について聞かれたと思います」

「いえ……でも、どのみち独り者ですから、どこでも大丈夫です。それに、そのことは、求人情報にも書かれていましたから」

海人はうなずいた。

「僕たちに配達をされる側は、自分がそんな手紙を書いたことをすっかり忘れているんです。だから、少しでも劇的に、いい印象を与えて、その場を演出するために、僕らはこんな格好をして、こんな車で現れるわけです」

「一種の企業イメージということですか」

「そうですね。どうせ届けるなら、かっこよく現れたほうがいい。話題にもなるし、そういうサービスを利用したいと思う人が増えるっていう考えです」

海人は、少しだけ笑顔をつくった。

「というわけで、これから二週間で五通を届けなければなりません。早速で申し訳ありませんが、今日から約二週間は家に帰れないと思ってください」

英雄は目を見開いた。

「そんなにたいへんなんですか……」

海人は、肯定も否定もせず微笑んだ。

「じき、慣れますよ。とにかく配達できなかった人たちがどこに住んでいるのかを調査部が調べて、住所が特定できれば再度郵送します。再度郵送などが難しい場合に、僕が直接、いや、今日からは僕たちか、そう、僕たちが直接届けに行きます」

車は環状二号線を右折して保土ヶ谷バイパスに入った。

「再度郵送が難しい場合って、どんな……」

「まあ、それは一人ひとり事情が違います。でも、僕らは調査部の指示したとおりに、指示した順番でそれを届けに行く。それが仕事です」

「休みはあるんですか?」

「二週間以内にすべて届け終わったら、残りは全部休みになります。僕たちはすべての手紙を、お客さまに届けること、再来週の月曜日の朝に会社に出勤すること以外は、どこで何をしていてもいいことになっています」

「じゃあ、極端な話、すべてを今日一日で配り終えたら、残り十三日はお休みということですか」

「そうですよ。それができれば、ですけどね。もちろん、それでも給料はちゃんと出ます」

「そうなんですね」

英雄にも、この会社での仕事がなんとなく見えてきた気がした。

頭上の案内看板を見ると、直進の矢印の先に「東名」の文字が見えた。

「これから、東京ですか」

海人は首を横に振った。

悪い予感が英雄の頭をよぎった。妙な胸騒ぎがする。

「大阪です」

海人はそう言うと、アクセルを踏み込んだ。

嶋明日香

@大阪・心斎橋

「明日香《あすか》、今日、バイト?」

山村恵利《やまむらえり》が、慌ただしくスーツの上着を羽織りながら聞いた。

「ん? ……ないよ」

嶋《しま》明日香は、寝間着として恵利から借りているグレーのスウェットの上下のまま、二人掛けのソファに寝転がり、片方の肘置きに頭、もう片方の肘置きに両足を投げ出して、スマホをいじっている。

「ほんなら、もし宅配の人来たら荷物を受け取ってくれる? 出かけるようならええけど」

「うん……わかった」

明日香はスマホゲームに集中しきっている。画面から目も上げずに言った。

「じゃあ、わたし、行ってくるね」

ちょうど、ワンプレイ終わったタイミングだったので、明日香はソファに横になった姿勢のまま、首だけ玄関のほうに向けた。

「いってらっしゃあい」

恵利がパンプスを履きながら扉を開ける音がする。恵利がつけた香水の残り香が、開いた玄関の扉から、乾いた冷たい十二月の風に乗って明日香まで届いた。寒さに思わず、身が縮こまる。

扉が閉まると、明日香は一度身体を伸ばして、もうワンプレイしようと画面にタッチした。その瞬間、手にしているスマホが震えた。メッセージが入ったらしい。明日香は画面をゲームから切り替えて、メッセージを見た。バイトの後輩、鮎美《あゆみ》からだ。

―明日香さん。ゴメンですが、今日のバイト代わってもらえませんか？

土下座した武士の画像が貼り付けられている。

明日香は、慣れた手つきで素早く返信した。

―どうした……？

ほどなく、返事が来た。

―実は昨日からＴＤＬに来てて……彼氏がサプライズでホテルを予約しておいてくれて……。

なるほど。先が読めてきたが、一応続きを促す。

―で？

―あたしは、昨日で帰るつもりだったんやけど、今もまだＴＤＬにいて、たぶん今日一日中いることに……。

今の時点で東京にいるのなら、バイトの時間までに大阪に帰ってくるなんて無理だ。明日香の答えに関係なく、バイトに出る気はないらしい。

明日香はため息をつきながらも、休みなく指を動かして返信した。

—しゃあないなぁ。貸しよ。

そう送ると即座に、大袈裟にお礼を言う文章と、それに見合ったたくさんのスタンプが送られてきた。明日香はそれらをろくに見ないまま、画面をゲームに切り替え、Ｐｌａｙボタンに触れた。何も考えずにいられる時間。先のこととか、これからのこと、いろんな心配事も、その時間だけは忘れていられる。

ゲームの途中にまた携帯が震えた。

「あ〜、もう」

明日香は、ゲームを中断した。今度は、別のバイト仲間からだった。

—明日香さん、また、鮎美の代わりにバイト入るんですか？

明日香は返事を打った。

—うん、まぁ、暇やしね。

—いい加減にしいやって、ガツンと言うたほうがええですよ。

トゲのある返信が入った。

バイト仲間は、ほとんどが大学生で明日香一人が少し離れて年上である。そのこともあって、周りは明日香に甘えるし、明日香もほかの学生たちと同じノリで鮎美のことを責めるのは大人気ないと思ってしまい、あまり厳しいことも言えないでいた。

そうこうしているうちに、何もしないままいつものようにただ時間だけが過ぎていく。

一段落して時計を見ると、十一時になっていた。

明日香は、下だけデニムにはき替えて立ち上がった。近くのコンビニに、遅い朝食のための買い出しに行くためだ。上はコートを羽織るからスウェットのままでいいし、寝グセは帽子を被るから……と、見た目に気を遣うというよりも、いかに誤魔化すかということしか考えていない。

外は晴れていて、空気は冷たいが風はなく、冬の太陽が心地よかった。

「いつか、自分の心も、こんな晴れやかな状態になればいいのに」

明日香は、ため息をついて冬の青空を見上げた。

恵利が帰ってきたときに、コンビニの買い物の残骸が部屋に残っていると怒られる。部屋が散らかっていることに怒るわけではない。

「時間もあるんやしちゃんと自分で作ったほうがええよ。お金がもったいないやん」

恵利が、居候の自分のことを心から心配してくれているのはわかっている。だから、明日香も苦笑いをして、「ごめん」と謝るのだが、自分で作る気にはなれなくて、ついコンビニで済ませてしまう。結果として、袋菓子やスイーツなどを買いすぎてしまうのが常だった。

部屋に帰ってくると、ジーンズを脱いで、すぐ先ほどまではいていたスウェットにはき替えた。こっちのほうが楽だ。

テレビの電源を入れて、買ってきたばかりのサンドイッチの袋を開けた。画面ではドラマの再放送をやっている。別に特に面白いわけでもなかったが、毎日のように観ていると、なんとなく続きが気になるものだ。そうこうしているうちに、あっという間にバイトの時間になる。

いつもと同じだ。ここのところ、ずっとこんな生活を送っている。

もちろん、明日香だってこのままではいけないと思ってはいる。でもまだ、今の自分に、そして自分の将来に正面から向き合うだけの心の余裕がなかった。やらなければならない宿題を先送りする小さい子どものように、考えることから逃げて、携帯のゲームやテレビの昼ドラにはまりこんでいるのだった。

＊＊＊

「ここですね」

海人が車を停めた。英雄は車の時計を見た。午後の五時を過ぎたところだった。

給油と買い出しのために一度、牧之原のサービスエリアに停まった以外は、横浜から休みなく海人が車を運転してきた。途中、何度も渋滞があり、思った以上に長い時間がかかってしまった。にもかかわらず、海人は、疲れた様子を一切見せず、涼しい笑顔を英雄に向けた。英雄は思いきり伸びをしたかったが、ずっと助手席だった自分がそうするわけにもいかず、我慢した。

「降りてみましょうか」

「はい」

御堂筋から脇道に入ったとはいえ、人通りは多い。黒塗りの高級車から、上から下まで真っ白なスーツに身を包んだ男が二人降り立つと、その異様さに、視線は自ずと集まってくる。

周囲にいる人たちが、一度は二人のことを見る。そして、見なかったことにしようとあからさまに目をそらす人もいれば、二度見する人、クスクス笑って隣にいる人に耳打ちする人、背後からスマホを構えて写真を撮ろうとする人と、その後の反応はさまざまだ。

英雄は注目されることに慣れていないので、どうしていいのかわからず、ぎこちない歩き方で海人の脇に立った。一方の海人は慣れたもので、着ているものに対する恥ずかしさも感じる様子はなく、常に落ち着いている。

「まずは、そういうところからだな……」

この会社で仕事をしていく以上、自分も海人のような精神的強さを身につけなければいけない。

「気にするな」

英雄は自分に言い聞かせるようにつぶやいた。

その間も、海人の視線は道を挟んだ反対側のカフェの中に注がれている。英雄は海人の視線の先にいる店員を見つめた。

「嶋明日香さん、一通目の配達者です」

海人が視線を店内の女性から外さずに言った。

辺りは暗くなり始めていて、明るい店内の様子がよく見えたが、店の中からは、英雄と海人の派手な格好もよく見えないだろう。

「今、渡しに行くんですか？」

英雄が訪ねた。

「いいえ。やむを得ない場合を除いて、仕事中は渡さないようにします。車の中で、仕事が終わるのを待ちましょう」

「わかりました」

英雄はまた車に乗り込んだ。海人も運転席に入ってきた。

「家はわかっていないんですか？」

「彼女は、ここ数ヶ月、友人の家に居候になっているみたいですね。調査部で調べた友人宅の住所もありますが、転々としているようで特定しきれません。ただ、どこに住んでいても、ここのカフェでアルバイトしていることは、この数ヶ月変わっていませんので、ここが彼女と会える可能性がいちばん高い場所だと、資料には書いてあります」

「なるほど、友人宅に居候しているんじゃあ特定の住所に届けるのは難しいですね」

英雄はうなずいた。配達困難者というのがどういう状況の人なのか英雄にもなんとなくわかってきた。

「彼女はもともと、中学の頃から、お母さんと二人で住んでいたようですね。その母親を数年前に病気で亡くしていまして、実家はすでに別の人が住んでいます。まあ、もともとその家も賃貸だったようです。その後、大阪でアパートを借りてひとり暮らしをしていましたが、一度尼崎に引っ越して、同棲していたようですね……半年前そのアパートを解約してからは、複数の友人宅で居候生活を続けているようです」

海人が資料を眺めながら説明してくれた。

「よく調べてありますね」

「ほんとに、僕もいつも驚かされます」

海人は資料をしまった。

英雄は、店内で動き回る明日香の姿を複雑な思いで眺めていた。

「何時に仕事が終わるのか、室長は知っているんですか？」

「いいえ、知りませんよ。待つのも、僕たちの大切な仕事です」

そう言いながらも、海人は店の様子から目を離さない。

「なんだか、刑事や探偵みたいですね」

英雄は海人の顔越しに同じように店の中を眺めながら言った。

「刑事や探偵はこんな目立つ格好しませんよ」

海人はクックックッと笑いながら言った。

英雄はサイドミラーに映る自分の姿を改めて見た。

「たしかに……」

「ん？」

海人は、英雄の独り言のようなつぶやきに反応した。

「いえ、なんでもありません。それより仕事が終わったらすぐに、渡せるんですか？」

「さあ、どうでしょうか。見ていて、いちばんいいタイミングで渡すようにします」

「いちばんいいタイミング……ですか。それはどんな……」

「勘です」

英雄の質問を遮るように、海人が言った。

「手紙を渡すときに関しては、守るべきいくつかの基本事項はあります。仕事中は極力避けるとか、ひとりのときに渡すとか。こんな白ずくめの人に、夜道で急に話しかけられたら、女性なら特に、やっぱり怖いでしょうし、タイミングが悪ければ、ナンパか何かと勘違いされますからね。できる限り受け取ってもらいやすいタイミングを探して渡すようにしています」

「なるほど……」

英雄は、その「なんとなく」というのが苦手だった。

ルールがあり、それを守ることや、言われた仕事を言われたとおりにやることは簡単だ。ところが基本的な約束事だけがあって、いちばんいいタイミングを見計らって……となると、経験がものをいうことになる。経験のない英雄には「勘」が働かない。仕事の説明としては不親切きわまりないものだ。それでも、慣れるしかない。

英雄の困惑を感じ取ってか、海人が英雄のほうに向き直って言った。

「大丈夫です。この二週間で、なんとなくわかってきますよ」

「はい……」

英雄は自信なさそうに答え、無理矢理笑顔をつくった。

「二人で見ていてもしかたがないので、交代で寝ましょうか」

「わかりました」

海人は時計を見た。

「そうですね。とりあえず一時間で交代しましょう」

「室長は、ずっと運転してきて、疲れてるでしょうから先に寝てください」

海人は微笑んだ。

「じゃあ、お言葉に甘えて」

そう言うと、海人は車のシートを倒した。

「一時間経ったら起こしてくださいね」

「わかりました」

英雄の返事を聞いて、海人は帽子を顔の上に置いた。

英雄は店の中を見つめながら、嶋明日香が仕事を終えるタイミングだけに集中しようとした。店の中を忙しそうに笑顔で動き続ける明日香の姿を見ていると、彼女がどうして、このような人生を送ることになってしまったのかと考えてしまう。

母子家庭で、先に母親が他界。ひとり暮らしのあと、同棲をしたが、今は友だちの家に居候ということは、一緒に住んでいた彼氏とは別れたのだろう。彼女は今、どんな気持ちで日々生きているのだろうか。

考えなくていいことまで考えるようになったのは、年齢のせいか。それとも、自分の何かと重なる部分があるからだろうか……。


嶋明日香がバイト仲間にひと声ずつかけて回っているのが見えたのは、それからだいぶ経ってからだった。車の中のデジタル時計を見ると、21：05と表示されている。

「室長、嶋明日香さんがお仕事を終えたようです」

英雄は海人を揺らした。海人は、シートのリクライニングが電動で戻るのに任せてゆっくりと上体を起こして、帽子を被り直した。

「何時ですか？」

「二十一時五分です」

海人は眉間に少しだけしわを寄せた。

「ダメですよ、一時間交替と約束したんだから、きっかり一時間で起こしてくれないと」

「あ……すいません。気持ちよさそうに眠っていたので、邪魔してはいけないと思いまして。それに、ここまでも室長ひとりで運転されていたので、少しでも休んでもらえたらと……」

「気持ちは嬉しいですが、休めるときに休んでおかなければあとがたいへんなのは、新井さんも同じです。それに、新井さんがその独りよがりの親切を改めなければ、いつか重大なミスを生みます」

「いや、自分は本当にまだ寝なくても……」

海人は店の様子を横目で見ると、明日香がまだ出てこないことを確認しながら、英雄の言葉を遮った。

「『隣の三尺』ですよ」

「隣の三尺……ですか？」

英雄にとって初めて聞く言葉だった。

「家の前の掃除や雪かきは、自分の家と隣の家の境界線ギリギリまでやるのではなく、三尺だけ余計にやりなさいという教えです。ところが、親切な人は三尺どころか、両隣の分まで、すべてをやろうとするんです。そうすると、どうなると思いますか」

「お隣さんが喜ぶんじゃないんですか？」

「もちろん、喜んでお礼を言うでしょう。でも、お隣さんが、次に掃除をするときには、自分も隣の家の分までやらなきゃいけないって思うじゃないですか」

「……たしかに」

「新井さんが、今日余計に僕を寝かせてくれたら、今度、僕が新井さんを時間どおりに起こしにくくなりますよね。お互いエスカレートしていって、自分は我慢してでも相手を……としていくうちに、きっとどちらかが事故を起こすことになります。運よく事故なしで過ごしていたとしても、長い間続けるうちに、正確に何時間ずつ譲り合ったかなんて覚えていられなくなり、自分のほうがたくさん相手に譲っているんじゃないかとか、印象ばかりが残っていき、人間関係が悪くなっていくかもしれません。だから、一時間と約束したら、僕が新井さんを一時間で起こしやすくするためにも、時間は守ってください」

「なるほど、すみません……」

英雄は素直に謝った。

「そこまで考えもせずに、ただ喜んでもらえるかと思って……」

「わかりますよ」

海人は微笑んだ。

「喜んでもらえるって、難しいことですからね。よかれと思ってやったことが相手の気分を害してしまうことは、僕にもよくあります。だから、僕はこうされたほうが嬉しいって、ちゃんと言うことが大事だと思っているんです」

英雄も海人の笑顔につられて微笑んだ。

「ところで、新井さん、三尺ってどれくらいの長さか知っていますか」

「だいたい九十センチくらいですよね」

海人は、「そうなんだ」とでも言いたげにうなずいた。

「えっ、室長、それを知らなかったんですか」

「ん？ まさか。知ってましたよ」

本当のところ、どっちだかわからないが、知らないふりをしたのであれば、場の緊張を緩和するのが抜群にうまい。英雄はすごい人を見るような尊敬のまなざしで、助手席に座っている若者を見つめた。

＊＊＊

明日香はバイトの制服を着替えると、店の裏側にある従業員専用通用口から一度外に出て、わざわざ店の表側に回ってから、もう一度店の中に入った。

「お待たせ」

声をかけられた鈴原京子《すずはらきょうこ》は、明日香の姿を認めると、慌ててテーブルの上のアイスコーヒーに手を伸ばして、すすり音を響かせながら飲み干し、伝票を持って立ち上がった。

「もうええの？」

明日香はうなずいた。

「もともと、今日休んだ子のためのヘルプやし、最後までおらんでも平気やって」

京子がレジで伝票を差し出した。

「わたしが出すよ」

明日香の言葉を京子は手で遮った。

「居候の身で無理せんほうがええよ。わたし、こう見えて、結構稼いでるし」

京子はニヤリと口元だけで笑った。どう見えているつもりかわからないが、着ている洋服、持っている小物、身につけているアクセサリーにメイクに至るまで、明日香にはどう見ても、結構稼いでるようにしか見えなかった。

会計を済ませると、京子は足早に店の外に出た。

「お疲れさまです」

レジに立つチーフに挨拶してから、明日香も慌てて京子のあとを追った。


かつて二人がよく利用した行きつけのバーは、その日も会社帰りの若いサラリーマンで賑わっていたが、京子が予約を入れていたらしく、二人は、ひとつだけ空いていた窓際のテーブル席に通された。

「ゴメンな、急に」

京子が座るなり言った。明日香は首を横に振った。

「どうせ暇やったし」

テーブルにやってきた若い男性店員は爽やか系のイケメンで、京子の注文する声や表情があからさまに、明日香に見せるそれとは違うものになった。

「かしこまりました」

と言ってその男性店員が去っていくと、京子の声はいつもの感じに戻った。

「明日香、あのバイト、いつからやってんの?」

言葉が終わらないうちに、京子はタバコに火をつけて、フーッと吐き出した。

「半年くらいかな……」

「そうなんや……ほしたら、拓也《たくや》と別れてから始めたんやね」

京子は言ってほしくないことをズバズバ言う。明日香は苦笑いをした。

「ん? うん……そうかな」

明日香は、目をそらして外を見た。


京子とは前のバイト先で知り合った。ノリがよくて、誰とでも昔からの知り合いのように話す。常に人の輪の中心にいるタイプで、あらゆる情報が京子に集まってくる。どの学校にも一人くらいはいる仕切り屋タイプだ。

当時、明日香がつき合っていた拓也のことも、しつこく会わせろと言うので、一度、京子が連れてきた男と一緒に四人で食事に行ったら、それ以来、拓也のことを「友だち」だと言うようになった。以後、京子の携帯には拓也のアドレスが入っている。今でも男友だちとしてつき合いはあるのだろう。

一方で、明日香は拓也と別れて、この半年、一度も会っていないどころか、電話やメールもしていない。登録していた拓也のアドレスはすでに消している。

「なんで？　なんで？　会ったらええやん」

二人で飲んでいるはずなのに、京子の声は店の隅々にまで聞こえるほど響く。明日香は意識的に声を落とす。

「わたしは、そういうの、ようせんから」

「気にしすぎよ。わたしら、前、つき合ってた男はみんな、今では友だちよ。ふつうに電話もメールもするし。ええ。信じられへん。そしたら何、あれから一回も拓也に会うてないん？」

明日香はうなずいた。

京子と久しぶりに会ってみて、明日香は改めて痛感していた。

「やっぱり京子とは合わない……」

一緒にいて居心地のいいタイプではない。でも昔から、明日香には京子のようなタイプの友人が近くにいた。常に自分のペースで話す。こっちの気持ちやら立場やらを考えない。押しが強い。いつもそういう誰かがいたということは、そういうタイプの人間にとって、明日香は一緒にいやすい存在なのかもしれない。

明日香はいつも、京子の誘いやお願いを断ることができないでいた。きっと京子のようなタイプの人間は、明日香にどういう話し方をすれば断られないかをよく知っているのだろう。だから、今日も誘われるがままについてきて、こうやって一緒にいる。こんな気持ちになるのは最初からわかっていたのに。

「拓也、今、何やってるか、聞きたい?」

聞きたくもないのに、昔の彼氏の情報を教えてくれようとするのは、京子なりの親切なのか、それともわざと嫌な思いをさせようとしているのか……京子にはそういうところがあることも、明日香は知っている。

「別に、もう関係ないから……教えてくれなくていいよ」

「ホンマ? 聞いたらびっくりすると思うよ」

聞いたらびっくりする話ほど、不快なものはない。びっくりなんてしたくない。どうせ、明日香にとって悪い知らせに違いないのだ。京子の口ぶりから感じる、拓也と連絡を取り合っている雰囲気や、自分は今でも友だちだというアピールがいちいち癇に障る。

でも、顔に出さないように、明日香は一生懸命なんでもない振りをし続けた。

「でも、なんで別れたん。絶対、結婚するって思ってたのに」

なんだか嬉しそうに話す京子にどんどん腹が立ってきたが、その気持ちとは裏腹に、顔では笑っている。そういう心で思っていることと態度を真逆にしてしまうところが自分のいちばん嫌いなところだ。

「もういいよ、その話は……」

明日香は引きつりそうになりながら、さらに笑顔をつくって言った。

さっきのウェイターが飲み物を運んできた。明日香は、話題を変えるつもりでグラスを手にして京子のほうに差し出した。

「とりあえず……」

「乾杯！」

京子が言って、グラスをぶつけ合った。

「まあ、別れてしもたんはしょうがないか。さっさと次の相手を見つけんとね。明日香ももう二十五歳なんやし」

「自分だって二十五でしょ」

「わたしには彼氏がおるもん」

相手が京子のことを「彼女」だと思っている保証はないでしょ……という言葉を、明日香は呑み込む。京子がつき合う彼というのはいつも、ノリはいいが誠実さに欠けるように見えて、京子が本命なのかどうかわからないような印象しか、明日香にはない。

「で、考えてくれた？」

「ん？　何を」

京子は大袈裟に両手を開いて、肩をすくめた。

「何を……じゃないやん。わかっとるやろ」

もちろん、わかっていた。京子が紹介してきた仕事の返事だ。拓也と別れたときからずっと誘われている。そろそろ返事をしなければならないと思っていた。

「仕事の話よ、シ・ゴ・ト」

「ああ、その話ね……」

乗り気はしないが、うまく断る自信がない。

いつもそうだ。いろいろ抵抗はするものの、最後は丸め込まれてしまう。できれば、知らないうちに、この話が流れてくれればよかったのに……明日香は心の中でため息をついた。

「いつまでも、高校生みたいなバイトしてるわけにはいかんやろ。今は居候してて大丈夫でも。誰と住んでるんやったっけ？」

「専門学校時代の友だち……」

「じゃあ、メイクの仕事してる人?」

「百貨店の一階で化粧品の販売……」

「彼氏は?」

「今はおらん……」

「そんなん、わからんやん。今はおらんでも、これから彼氏ができたら、すぐに追い出されて、行くとこないなるよ。そうなる前に自分で手を打たんと……」

「うん……わかってる」

「せやったら。悪い話じゃないと思うよ。前にも言ったけど、今でもわたしの店で女の子募集してて、ほんまに足りひんのよ。店長が、明日香の話したときから、連れてこいってうるさいし。仕事も楽やし、給料もすごくええよ。迷うことないやろ」

「……」

無言の明日香に、たたみかけるように京子は話を続けた。

「大丈夫よ。うちの店、変な競争とかノルマとかほとんどないし。ただお酒飲んで、楽しく話してそれだけ。それだけやのに、結構儲かるんよ。明日香も一回、働き始めたらまじめにコツコツ働くのバカらしくなるって。お客さんからこんなんプレゼントされることもあるし」

京子は腕にはめたキラキラ光る腕時計をこれ見よがしに見せた。相当高価なものだということはわかるが、明日香はそういうものにあまり興味がない。

「この前店辞めた娘なんか、この仕事で貯めたお金で神戸でネイルサロンやってるんやて。ほら、明日香も今は特にやりたいことはないって言ってたやん。そういうのができるまでのつなぎとして、絶対最適だと思うよ。で、やりたいことが見つかったら辞めればええやん。それだけの話。何も悩むことないって」

「……」

明日香は返事をせずに、グラスの周りに付いた水滴を指で拭き続ける。

京子は一度大きなため息をついて、それから明日香の目をのぞき込むようにして言った。

「もしかして怖いん？」

「そんなんちゃうけど……」

明日香は目をそらしながら否定した。

「じゃあ、断る理由なんてないやろ。だって、明日香、お酒飲むのも嫌いじゃないやろ」

「誰と飲んでも楽しいってわけじゃないし……。嫌なお客と一緒に飲みながら笑うって、わたしにはできんような気がする……。変な客もおるやろうし」

京子は二本目のタバコに火をつけた。

「まあ、おるけど……関係ないよ。お金のためならちょっとくらい我慢せんと。それに嫌な客は今のバイト先にだっておるやろ」

「……」

明日香はグラスをあおった。

「じゃあ、今のまま、あのバイト先で十代の子たちの穴埋めをしながら働いていたいの？これからもずっと……」

「そういうわけじゃ……」

「じゃあ、ほかにやりたいことあんの？」

「……」

明日香は再び、グラスの周りに付いた水滴を指でなぞる。


今のままでは自分の人生はダメになる。そのことは自分でもよくわかっている。今の収入では一人暮らしをすることすらできないのも事実である。京子の言うとおり、このままずっと居候というわけにもいかない。そうなると当然、今のバイトでは生きていけない。もっと収入の多い仕事に変えるか、社員として雇ってもらえるような定職に就くしかない。

　とはいえ、社員として雇ってもらえるような会社なんて、そう簡単に見つかりそうもない。運良くあったとしても京子の紹介する仕事に比べると収入がだいぶ少ないだろう。収入面だけ考えれば、京子の誘いに乗るのが一番の選択肢だということはよくわかっている。

　それでも、その一歩手前で、どうしても踏み込めないでいる。

　ひとつには、「京子と一緒に」というのはできれば避けたい、というのがある。

　でも、だからといって、京子の誘いを断って同じような別の店に勤めたらどうかと考えると、結局、京子のような性格の人間はいるだろうから、そんな中に、ひとりで入っていって上手に立ち回っていける自信なんて、明日香にはない。

　そして、もっと大きな理由。それは酒に酔った男性が嫌いなのだ。その仕事をしている自分を想像するだけで胸が苦しくなる。

　理由は自分でもよくわかっている。

　明日香が小学四年生のとき両親が離婚した。明日香の父は、明日香が物心ついた頃から、飲むと暴れた。暗い部屋で布団にくるまりながら、父親の怒声と、それを諌《いさ》めようと泣き叫ぶ母親の声に怯えながら、眠れない夜を過ごしていた日々。

大人になった今も、布団の中の暗闇が脳裏を離れない。だから、明日香は今でも、電気をつけたままでなければ眠れない。

「お酒さえ飲まなければ、お父さんは優しいんやけどね」

母の口癖だった。

自分もお酒を飲む歳になって、自分の中に確実にお酒を好む人間がいることに明日香は気がついた。でも、男性と一緒にお酒を飲む場所に行くことは極力避けている。

つまり、京子が持ってきた話なんて、やりたい仕事ではないのだ。

でも、頼る人もなく、一人で生きていくためには、それも我慢しなきゃいけないのだろうか。

「生きていくため……」

明日香の心は、大きく揺れていた。

京子は、その心の揺れを察知するのに長けているのか、すかさず結論を迫った。

「ねえ、言うとくけど、わたしも店長もそんなに長くは待てんからな。やるにしてもやらんにしても、今日返事をもらわんと……」

「わかってる。自分の気持ちの整理をしてるところ。ちょっと待ってくれへん？」

明日香は、苦笑いをしてうつむいた。

そのとき、京子の携帯が鳴った。

「彼からや。ちょっと待ってて。どうするか考えといてよ」

早口でそう言うと、京子は立ち上がりながら、電話に出た。

「お疲れ〜。今？　ほらこの前の……、前のバイト先の友だちと……そうそう。うん……たぶんな」

京子は席を外して、店の外に出た。

話している感じだと、京子の彼氏というのは、さっきから話に出てきている、店の店長らしい。やはり、京子が本命なのかどうかすら怪しいと思ったが、今はそんなことを考えている場合ではない。

八方ふさがりの人生から抜け出すために、新しい一歩を踏み出さなければならないのはわかっている。でもはたして、踏み出す一歩がこれでいいのか？

時には、流されるように、流れに身を任せてみるのもいいのかもしれない。一人で生活するのに十分な収入が約束されるのだから、京子が言うように、やりたいことができるまで、その仕事をしてみるのもいいのかもしれない。

でも、どうしてもその仕事はイヤだ。それなのに、我慢して続けているうちに、その仕事に慣れていくのだとしたら、自分が自分じゃなくなってしまうんじゃないか……。

もはや、明日香の思考は堂々巡りを繰り返すだけで、実際には停止していた。

考えても、考えても、何の進展もない。どうしたらいいのかわからない。

今までの経験からすると、このまま押し切られる形で「わかった」と自分が口にするのも、時間の問題だろう。

そうやって、今まで生きてきた。

考えるのが面倒くさくなって思考停止のまま、流されて生きてきた。

これからもそうやって生きていくしかないのだろう。

「それが自分の生き方だと割り切ろう」

明日香が、何かを吹っ切るように残っていたお酒をグイッと飲み干し、グラスをテーブルに置いたそのときだ。右側に人の気配を感じた。

顔を向けると、白の上下のスーツに、白いハットを被った、背の高い若者が立っていた。ちょっと離れたところには、同じ格好をした中年の男も立っている。

明日香は、二人を交互に見た。

二人とも、明らかに自分に笑顔を向けている。

「嶋明日香さん……ですね」

明日香は名前を呼ばれて、息が止まるほど驚いたが、若い男の自然な笑顔に、警戒心は薄れた。

「は、はい……」

「わたくし、こういう者です」

男が名刺を差し出した。

「株式会社タイムカプセル社　吉川海人……さん」

「はい」

「が、わたしに何のご用ですか？」

「今から十年前、あなたがあなたに宛てて書いた手紙をお届けに参りました」

海人は深々と頭を下げた。

「え……？」

明日香は、海人の言っている意味がわからず、怪訝《けげん》そうに少し身を引いた。

「中学三年生のとき、担任の森下裕樹《もりしたゆうき》先生のクラスで十年後の自分に向けて手紙を書いたのを覚えていませんか？」

海人は丁寧な言葉遣いで、優しく語りかけながら、カウンターの上にアルミのアタッシュケースを置いて中から一通の手紙を取り出した。

「これです」

明日香は恐る恐る手を伸ばして、その封筒を受け取った。

そんな手紙を書いた覚えはないのだが、中学三年のときの担任は森下先生だったし、目の前に差し出された封筒の文字には見覚えがある。今とは全然違うが、確かに十年前の自分の筆跡だ。記された住所は、番地までは覚えていないが、ほんの数年間だけ住んでいたことのある懐かしい町名だった。

海人はアタッシュケースから、別の紙を取り出した。

「お手数ではありますが、受け取りのサインをこちらにいただけますか?」

紙と一緒にペンを差し出す。差し出された万年筆のペン先がカウンターを照らすダウンライトを受けて輝いている。

明日香はあっけにとられたまま、その紙とペンを受け取るとサインをして海人に返した。

「それでは、失礼いたします。何かありましたら、そちらの名刺のアドレスに連絡をください」

海人はそう言って、帽子に手を添え、ゆっくりと、そして深々と頭を下げた。その動きに合わせるように、少し離れて立っていた中年の男も同じように頭を下げた。

これは夢か？

明日香は、ただ呆然とするばかりだ。

そして、白ずくめの男二人が店の外に消えていくと、手元に残された手紙をまじまじと見つめた。たしかに手紙は手元にある。だから夢ではないらしい。それに、見ているうちに、たしかに卒業記念にこんな手紙を書いたような気がしてきた。

明日香はチラッと窓の外を見た。白いスーツを着た二人の男の姿はもうなかったが、まだ電話をしている京子の姿が見えた。

明日香は、手元の手紙の封を切った。

見覚えのあるファンシーな便箋が出てきた。友だちとの手紙のやりとりでよく使っていたやつだ。一気に懐かしさがこみあげ、胸が締め付けられる。手紙は数枚あるが、すべてハート形に折りたたまれている。これも中学生のときに流行った折り方だ。

明日香は震える手で、折りたたまれた手紙を一枚ずつ丁寧に開いていった。

大人になったわたしへ

こんにちは、十年後のわたし！　十年前のわたしです。へんなの。
わたしは今、中学卒業を前に、この手紙を書いています。
いやぁー。卒業しちゃうんだなぁって感じ。
これから、島を出て高校に通います。
ちょっと不安だけど、楽しみなこともいっぱい。
どんな毎日が待っているのか、ドキドキ。
でも、これを読むわたしは、どんな高校時代だったか、もう知ってるんだよね。

さてさて
十年後のわたしは、幸せですか？
二十五歳か。どんな仕事をしてるんだろう。もしかして、もう結婚してたりして、
キャー。
でも、きっと、きっと有名なヘアスタイリストかメイクアップアーティストになって活躍してるよね。

テレビに出る有名人の髪の毛を担当したり、メイクしたり、
女優さんなんかと友だちになったりして、活躍してるよね。
だって、わたし決めているから。
そうやって有名になって、たくさん稼いで、
女手ひとつで育ててくれたお母さんに恩返しするんだって。
でも、十年後だとまだ修業中かな。
もし修業中なら、この手紙を読んで、頑張ってほしいです。

今のわたしは、すぐ逃げてしまうし、
嫌なことがあるとすぐ、投げ出してしまうし……、
って書いてて、なんか、十年後の自分に申し訳なくなってきた……反省。
もっと、逃げずに頑張れる自分にならないと。
言いたいことがあったら、ちゃんと言える人にもなりたいな……
ごめんなさい。今のわたしが弱いせいで、十年後のわたしに迷惑かけてるかもしれ
ないです。
でも、でも、大人になったわたしなら、

今のわたしにできないことだって、きっとできてるよね。

逃げずに、夢をつかむ強さだって持っているよね。

でも、そうなるためには、今のわたしが変わらなきゃダメってこと？

何だかわからなくなってきたよ。


それでも、今のわたしは、森下先生が言ってくれたこと信じてるんだ。

絶対一生忘れない自信あるよ。

だから、これを読んでいる十年後のわたしも覚えてるはず。

それは、

「明日香は、明日香にしかできないことがあるから、生まれてきたんだ」

って言葉。

わたしがその言葉を信じられなくなったら、
わたしがかわいそうだもんね。

十年後のわたしが、わたしにしかできないことを見つけ出して幸せに生きていることを願っています。

まだ見つかっていなくても、わたしにしかできないことって何かがぼんやりとでも見えてるといいなって思います。
どう？　未来のわたし。
そのために、これからのわたしは何をしておいたらいいと思う？
って返事がもらえるわけないか……。
とにかく、十年後のわたしに感謝されるように、高校行ったらガンバろっと。

それから、それから、これだけは自信あるんだけど、十年後のわたしも、潤《じゅん》一郎《いちろう》くんのことが好きかな。こればっかりは、きっと、いつまでも変わらないよね。

いろいろ書いたけど、十年後のわたしが幸せでありますように。
ではでは、十年後にパオ〜！

明日香さんでした。

読み終わる頃には、涙が止まらなくなっていた。

明日香は、やっとのことで嗚咽《おえつ》を堪えて立ち上がり、化粧室に駆け込んだ。トイレに入ると、鍵をかけて、もう一度手紙を読み返した。

読み進めるうちに、中学時代にあったことが次々に思い出された。この十年間、思い出すことすらなかった数々の出来事が鮮明によみがえってきた。

子どもっぽさを残す自分の筆跡が、今の自分に精一杯エールを送っているようで、この手紙を書いた頃の自分を強く強く抱きしめてあげたくなる。

明日香は、溢れる涙を拭くことも忘れて、手紙を読み返し、小さな声で、

「ごめんね、ごめんね」

とつぶやき続けた。一生忘れないと言った森下先生の言葉も忘れていた。

もっともっと大切にしてあげなければならなかった。

自分の純粋な夢を。将来への希望を。未来への期待を。

すべて裏切ってきた自分が情けなくて、悔しくて、子どもの頃の自分に申し訳なくて、
ただただ、謝りながら泣き続けた。

「ごめんね、お母さんもわたしのせいで……」

親孝行どころか、明日香の専門学校の費用を捻出するために働きづめだった明日香の母

はすでにこの世にいない。過労が原因だとは言われなかったが、明日香はそれが原因だと疑っていなかったし、その原因をつくったのが自分だという後ろめたさもあった。

なにしろ専門学校では、母親のその苦労を知りながらも、まじめに勉強をすることはなかった。明日香は、頑張って自分のために働いてくれている母のことを思っては、まじめに勉強をしない自分を責め、心を痛めたが、大阪で学生生活をしていくなかで、同じように一人暮らしをしながら青春を謳歌している友人に流されるように、その痛みもすぐに麻痺していった。

母は無理に無理を重ねて身体を壊し、この世を去った。

見えなくても、娘ひとりを都会でひとり暮らしさせるために、どれだけたいへんな思いをしなければならなかったのか、思いを馳せれば、簡単にわかったはずだが、それすらしなかった。そんな自分は悪魔のような心の持ち主のような気がした。

そして、そこまでして母が通わせてくれた専門学校を卒業したものの、在学していた二年間で結局何も身につけることも、希望の就職先に就職することもできなかったことで、さらに激しく、自分を責めた。

そうやって明日香は自分のことがどんどん嫌いになっていった。

潤一郎について書いた、あの日の自分の気持ちもよくわかる。

当時つき合っていた彼。つき合っているといっても、田舎の中学生のことだから、好きだからつき合ってくれと告白されてオーケーしたにすぎない。それ以上でも、それ以下でもない。恥ずかしくて、廊下ですれ違っても目も合わせられなかったし、一緒に帰ることもできなかった。それでも、ただ「両想いである」という事実だけで、世界でいちばん幸せだと思えた。

でも、明日香も潤一郎も高校生になったら島を出て、別々の高校に通うことが決まっていた。そのことが、つらくて、不安だった。離れてしまうことが怖かった。

十年後の自分に宛てた手紙にははっきりと書けるぐらいの覚悟がなければ、離ればなれになっても好きでい続けられるなんてことはできないだろうと思ったから、敢えて書き残した。自分はずっと潤一郎のことを好きでい続けるんだっていう覚悟を。

でも……。

明日香は鼻をすすった。

「潤一郎くんとは高校一年生の夏に別れちゃったんだっけ。でも、大好きだったよ」

明日香は十五歳の自分を慰めるように言った。

そして、小声で「パオ～」とつぶやいた。

中学生の頃、明日香の周りだけで流行っていた別れの挨拶だ。

明日香は元の折筋どおりに手紙をハート形に折りたたむと便箋の中に大切にしまった。

＊＊＊

車の中では、海人と英雄が店の中の様子をうかがっていた。

「どうでしたか、最初の配達は」

海人が店の中を見ながら尋ねた。

「いやぁ、緊張でただ突っ立ってるだけになってしまいました」

「最初はそれが仕事ですから、いいじゃないですかそれで」

「それにしても、マイスターシュテュック149を使うんですね」

「あれ、新井さん万年筆に詳しいんですか？」

「詳しいというほどではないのですが、一度万年筆についていろいろと調べたことがあるもので。世界中の条約などの調印式で使われるやつですよね」

海人は微笑んだ。

「おそらくみんな手紙を書いたことなんて覚えてないんですよ。でも、白ずくめの人が急にどこからともなく登場したり、いきなり高級感漂う万年筆が出てきたりしたら、今度は印象に残って忘れないかもしれないでしょ。まあ、万年筆とか、そういう細かいアイテムに気づく人なんていないでしょうって僕は思ってたんですが、社長が『俺ならそこが気になる！　そこまでスーツで決めたやつが取り出した筆記用具が使い捨てボールペンなら、その格好そのものがコスプレ感が出るだろ』っていうんですよ。そこまで気づく人っているのかって内心思ってたんですけど。でも、いましたね。ここに」

海人は声を出して笑ったが、その後車内はすぐに静かになった。やはり、まだ中の様子が気になるのだ。二人とも、ずっと化粧室に入ったままの明日香が出てくるのを待っている。

「席を立ってからだいぶ経ちますね」

英雄がつぶやいた。

海人は特に何も言わなかった。

「それにしても、室長が言った配達困難者ほど、この手紙が必要だっていう意味がなんとなくわかった気がします」

海人は窓の外を見つめたまま話した。

「配達困難者とひとくちに言っても、いろんな場合が考えられますが。今回の依頼者のように、島の中学卒業記念にということになると、手紙を書いた直後に島を出て、それからもうその島には帰ってこないというケースがほとんどです。もともとの住所に、親がそのまま住んでいる場合は問題ないのですが、本人だけでなく、家族もその島からいなくなってしまうと、調査部が調査しなければなりません。

彼女のように親を亡くして、帰るべき実家もなく、頼るべき親戚もない人も少なくありません。そんなときにはいつも思うんです。この手紙が少しでも、彼女の未来にとって明るい光となればって……」

店の中を見つめている海人の横顔はとても寂しそうで、どことなく遠くを見つめているようにも見えた。

「来ましたよ」

海人の声につられて、英雄が店の中をのぞき見た。

海人の顔が笑顔になった。

「うん、大丈夫みたいですね」

英雄は海人の顔を見た。

「何がですか？」

「我々が届けた手紙は、彼女にとって大切な一通になったようです」

「なんでわかるんですか？」

「勘です」

そう言うと、海人は車のエンジンをかけた。

「行きましょう」

「どこにですか」

「東京です」

英雄は戸惑いながら尋ねた。

「大阪で泊まったりしないんですか？」

「本当は、この時間にはとっくにひき返している予定だったんですが、時間がかかりましたからね。新井さんは寝てていいですよ。僕はさっき十分寝ましたから」

「わかりました。ありがとうございます。……それにしても、じろじろ見られたり、クスクス笑われたり、移動は多いし、休む間もないって……結構な激務ですね」

海人はケタケタ笑った。

「結構な激務は当たっていますが、クスクス笑われているのは新井さんだけですよ」

言われてみれば、たしかに海人が笑われているわけではなさそうだ。

「やっぱり、白いスーツが似合わないんでしょうかね」

「そんなことはないですよ、でも僕も思わず笑いそうでしたから」

「どうしてですか？」

「原色系の花柄パンツが透けて丸見えです」

英雄は恥ずかしさで顔が紅潮するのがわかった。

「早く言ってくださいよ！」

「言っても、着替える時間がないと思ったので、言えませんでした。とりあえず先にパンツ買いに行きますか」

「は、はい……お願いします」

英雄は力なく答えた。

＊＊＊

明日香が化粧室から戻ってくると、テーブルには電話を終えた京子がひとりで携帯をいじりながらピンク色のカクテルを口に運んでいた。明日香のことを待ちかねて、新しい飲み物を注文したようだ。

「ごめん。お待たせ」

明日香は笑顔で言った。

「明日香も何か頼む？」

京子の誘いに、明日香は首を振った。

「わたしは、もういい」

「で、さっきの話の続きなんやけど。店長、今すぐにでも明日香に来てほしいって……」

「その話なんやけど……」

明日香は京子の話を遮るためにちょっと大きめの声で割って入った。

「わたしのやりたいことじゃないから、やめとく」

明日香は京子の顔をしっかりと見据えて、はっきりと断った。今まで明日香が京子にとったことのない態度だったので、京子は笑顔を引きつらせて、少し後ろにのけぞった。

「いや、だから、やりたいことが見つかるまでのつなぎとしてやったら、儲かるよって……」

明日香は首を横に振った。

「約束……したんを思い出した」

「約束？」

明日香はコクリとうなずいた。

「昔から、夢とか目標を持てって言われたけど、そう言われるたんびに苦しかった時期があったんね。そんな簡単に持てるわけないって。だから『夢あるの？』って聞かれるたびに苦しかった。そんなとき、中学三年のときの担任の先生が、『なくて当たり前だ』って言ってくれたことがあった。わたし、夢は持ってなきゃいかんもんだとばかり思ってたから、驚いて、『えっ』って先生を見たんね。

そしたら、先生は『おまえらくらいの年齢のときは、夢がないのが当たり前や。だから、心配いらん』って笑顔でもう一回言ってくれた。そして、『夢がないっていう人は、とにかく今、目の前にあることに一生懸命になってみろ。がむしゃらに打ち込んでみろ。夢を持とうとしなくてもええから、今、目の前にいる人を笑顔にしてみようって思てみろ』って言うてくれた。わたし、その言葉で気が楽になって、そうしてみようって思った。

そしたら、自分にできることで目の前の人を笑顔にできることが、髪を編み込んであげることくらいしかなかった。でも、一生懸命友だちの髪を編んであげているうちに、女の子を綺麗にしてあげるのが楽しくなって、それをすれば喜ばれて、その髪形に合うメイクなんかも自分なりに研究するようになって、それが将来の夢になっていった……」

「それが？……」

京子は興味なさそうに、カクテルグラスを触りながら言った。

「今になって、なんとなくわかったんやけど、やりたいこととか夢って、探しても見つからないんやなぁって。それよりも、今、目の前のことを一生懸命やってるうちに、自然とやりたいことや夢が自分の中に生まれてくるんやって。先生はそういうことを教えてくれてたんや思う」

「その昔話と、仕事の話がどう関係あるの？」

「そのとき、わたし、自分に約束したんよ。これから、目の前のことに全力で生きていくって。そのことを思い出した。拓也と別れたのも、結局は自分の弱さが原因だったんだと思う。やりたかった仕事を諦めて、少し自暴自棄になって、でも、拓也と一緒に生きていけるから、今のままでいいやって、目の前のことに一生懸命になることなんて忘れてた。今まで自分との約束を破ってばかりだったけど、もう一度、しっかりそれを守ってみようと思う」

「今さら、中学の先生との約束?」

明日香は首を振った。

「自分との約束」

京子は鼻で笑った。

「昔の自分との約束?　そんな子どもじみたものに縛られてたら、いつまで経っても大人になれ……」

「そうかもしれんけど」

明日香は、強い言葉で京子の話を切った。

「今のわたしより、子どもの頃のわたしのほうがまともなこと言うてるのは確かやから」

京子はため息をついた。

「今回断ったら、やっぱり雇うてって言うても無理よ」

明日香はうなずいた。明日香のまっすぐな視線を見て、京子は肩をすくめた。

「しゃあないなぁ。ほんなら、もう一回電話せな」

そう言うと京子は、憮然《ぶぜん》とした表情で立ち上がり、携帯を握りしめて表に出て行った。

店の外で電話をかける京子の姿を見ながら、明日香はもう一度、先ほどの十年前の自分から届いた手紙を鞄の中から取り出した。

読み返すと、また涙が出そうだったので、封筒の文字を眺めては、指先でそれに触れていた。いつしか、幼い子どもの頭を撫でる母親のような優しい表情を浮かべて。

そして、心の中で、つぶやいた。

「ありがとう。わたし、もう一回、本気でやり直してみるよ」

＊＊＊

車は名神高速道路を京都に向かって北上していた。

海人から寝ててもいいと言われた英雄だったが、眠ることができず窓の外を眺めていた。そして、ただぼんやりと、先ほど会った嶋明日香のことを考えている。

「眠れないんですか？」

「ええ。ちょっと考えごとをしてしまいまして。どうも悪い癖です。一度気になって考え始めるとどんどん、いろんなことを考えてしまうんです」

「何を考えていたんですか？」

「先ほど会った、嶋明日香さんのことです」

海人は、英雄のことをちらっと見て、含み笑いをした。

「綺麗な人でしたよね」

「ええ」

英雄は否定しなかった。たしかに綺麗な人だった。

「でもそういうことじゃないんです」

「何か気になることでも？」

「彼女は手紙を受け取ってそれを読んで泣いてました。わたしは、懐かしさに喜んで、あの場にいた友人に見せて盛り上がったりするんじゃないかと想像していたんです。でも、反応はそうではありませんでした。先ほども言いましたが、配達困難者ほど昔の自分の書いた手紙を必要としているというのが、身にしみてわかった気がしました。

彼らは手紙を書いてから今日までの人生で、いろんなことがあったんですよね。元の場所に住んでいなくて、そこに連絡しても連絡が取れる人がいないってことは、普通の人の人生よりも何倍も、いろんな事が起きている。そんな気がしたんです。だから、なんて言うんでしょう。彼女には、幸せになってもらいたいなって思いました」

海人は微笑みを浮かべて前を見たまま、ひとこと、「そうですね」とだけ言った。

新名神に乗ると、深夜ということもあって、それまでにも増して車の数が少なくなった。走っているのは、長距離の大型トラックがほとんどだ。暗闇の中、緩やかに左にカーブしている高架を照らすライトが美しい。

ふいに、海人がポケットから携帯を取り出した。

「メールが来たみたいです」

海人はちらっと画面を見ると、英雄に差し出した。

「さっきの嶋さんからです。読んでもらえますか？」

件名が「ありがとうございました」となっている。英雄はゆっくりと声に出して読んだ。


—こんばんは。先ほどはありがとうございました。嶋明日香です。

十年前の手紙をわざわざ届けてくれるなんて驚きました。わたし、今、住所不定だから探すのがたいへんだったと思います。でも、おかげで、これ以上ない、最高のタイミングで、わたしの中にある大切なものを思い出すことができました。

何もかもうまくいかなくて、夢も実現できないし、少しずつ「どうせ自分なんて」って考えるのが当たり前になっていって、自暴自棄になる寸前でした。

でも、順番が逆だということがわかりました。「どうせ自分なんて」って思い始めてから、何もかもうまくいかなくなったんだって気づいたんです。

どんな状況になっても、「どうせ自分なんて」なんて思っちゃダメだって、昔のわたしが教えてくれました。

もう一度自分を信じて、やり直そうと思います。そのためにはもっと強くなろう。そう思います。

わたしの人生を救ってくれた手紙を届けてくださり、ありがとうございました。

その決意を、また十年後の自分に宛てて手紙に書いておこうかなって思います。

また、大阪にいらっしゃることがあればでいいので、ご連絡ください。　嶋明日香

英雄は、読み終えると、携帯を海人に渡した。

海人が言った。

「どうやら、彼女にとっては救いの手紙になったようですね。よかったじゃないですか」

「はい……」

英雄は、まだ浮かない顔をして窓の外を眺めている。

「どうしたんですか。ほかに何か心配事でも？」

「実は、わたしはここに来る前に、会社を経営していたんです」

「そうなんですか？」

海人はちょっと驚いた。

「ええ。ＩＴ関係の会社でした。立ち上げて数年で、会社はずっと順調に大きくなっていきました。ひとつのコンテンツを開発して、それがユーザーに支持されれば、売り上げは指数関数的に増えていくんです。三ヶ月で売り上げが十倍になった時期もありました。難しいのは、それが飽きられたときです。全く新しい、しかも、ヒットするコンテンツを開発しなければ、大きくなった会社を維持することができない。なんとか次が生まれても、いずれまた、全く新しいものを開発しなければならないときがすぐにやってくる。どこまでいってもその繰り返しで、結局、会社は倒産してしまいました。

儲けたときにとっておいた資金があったので、莫大な借金などはせずに済んだんですが、それでも、従業員たちを全員解雇しなければならなくなりました。わたしにとっては、それが何より苦しいことでした。なかには嶋明日香さんと同じくらいの年齢の女子社員もたくさんいました。

さっき、嶋明日香さんがアルバイトしている姿を外から見ていたとき、彼女たちも、こうやって苦労しているのかもしれないって思ってしまって、なんと言いますか、胸が締め付けられるように苦しくなったといいますか。嶋さんはわたしの会社の元従業員ではないのですが、自分が彼女をあの状態にしたような、そんな錯覚に陥ってしまって……」

英雄は大きなため息をひとつついた。

「嶋さんみたいに、ちょうどいいタイミングで、誰かが何かで救ってくれれば、それをきっかけに幸せになれるんでしょうけど、僕の会社で働いてくれていた女の子たちは、今頃幸せでいてくれているだろうかと……さっきから、ずっと気になっているんです」

「あなたのせいじゃない」

海人はひとことだけ言った。

「え？」

「新井さんの気持ちはよくわかります。でも、彼女たちが幸せかどうかを決めるのは、あなたじゃない。彼女たち自身です。その責任もあなたじゃなく、彼女たちにあります」

「そう言ってもらえると少しだけ楽にはなりますが、どうしても自分の責任だと思ってしまうといいますか」

「大丈夫ですよ。きっとみんな幸せです」

「そうでしょうか」

「この仕事をしていて思うことがあるんです。すべての人には、自分で苦しみや逆境から立ち直る力があるって。そして、それは出会いという奇跡によって始まるんです。僕たちもその奇跡を起こす一人かもしれませんが、奇跡の出会いを生むのは、僕たちだけじゃない。世の中にはたくさんの奇跡の出会いが溢れているんです」

「すべての人に、自分で立ち直る力がある……ですか」

「そうです。自分にはその力があるということに、気づかせてくれる出会いさえあればいいんです」

「誰もが必ず出会えると言えるでしょうか」

「そう信じることが大事じゃないですか」

海人は爽やかな笑顔でそう言った。

英雄は涼しい顔をして車を運転する若者の笑顔につられて笑顔になった。

「そうですね」

車はいつの間にか、民家もない暗い山の中を走っていた。

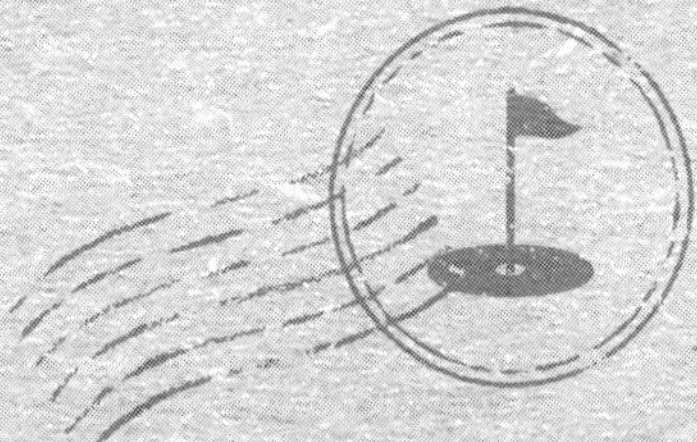

重田樹

@東京・原宿

磯川樹《いそかわたつき》は部屋の扉を開けると、カードキーを壁の差し込み口に入れた。部屋が明るくなる。

カウンターにはクリーニング済みのワイシャツが返ってきていた。

このホテルに滞在し始めてもう一ヶ月になる。

鞄をベッドの上に投げ出して、樹はテレビをつけた。スポーツニュースがちょうど贔屓《ひいき》の野球チームの試合を伝えていたが、相手チームのルーキーが投げる映像の画面左上のテロップに「ルーキーに手も足も出ず」と書いてあり、結果が負けだということが瞬時にわかる。

樹はため息をついて、冷蔵庫まで歩き、中からビールを取り出して開けた。

「それから、おめでたいニュースが入ってきました……」

テレビの画面は、昨年の最多勝投手が、バラエティ番組に引っ張りだこの女性タレントと婚約を発表したというニュースに変わっていた。画面の中に、美男美女のカップルが並んで立ち、フラッシュの洪水を浴びている。

「基山投手のどういうところが好きになったんですか?」

「頼りがいがあるところです」

女性タレントがそう言って最多勝投手を見つめると、激しいシャッター音が鳴り響く。

「基山投手は、SACHIさんのどんなところが？」

「彼女は、テレビに出ている雰囲気そのままの人で、裏表がないんです。そういうところが信頼できると思って好きになりました」

二人がまた見つめ合うと、シャッター音がまた激しくなる。

フラッシュの光が絶え間なく二人に注がれる映像は、樹を十五年前に引き戻した。


樹と綾乃《あやの》も同じようなフラッシュの中にいた。

といっても、結婚式の二次会で友人たちに囲まれてやった記者会見の真似事だ。友人たちが一人ひとりカメラとマイクを準備して、二人に質問を浴びせる。樹と綾乃が答えるたびに、みんなで一斉にシャッターを切る。ただそれだけの遊びだが、えらく盛り上がった。本当はその日までに樹がマスコミに注目されるほどの活躍ができれば良かったのだが、残念ながら、ものすごくたくさんいるまったくの無名選手の中の一人でしかなかった。

「綾乃さんは、重田くんのどんなところが気に入ったんですか？」

「ええと……少年のような心を持っているところ……かな」

「おお……」

わざとらしく驚いた声をあげた友人たちが一斉にシャッターを切る。自分に向けられたフラッシュの雨は想像以上にまぶしく、樹は、遊びとわかっていながらも緊張した。

「じゃあ、樹くんは、綾乃さんのどんなところが好きになったんですか？」

「しっかりしているように見えて、けっこうおっちょこちょいなところ……かな」

「たとえば、どんな？」

「たとえば……俺に送ろうと思っていたメールを、間違えて自分のお母さんに送っちゃったりとか」

「それ、言わないでよ……」

綾乃は顔を真っ赤にして、樹の腕を平手で叩いた。

シャッターを切る音が一際大きくなる。


自分たちにもそんな時期があったが、今となっては昔の話だ。

「今だけだよ……」

そうつぶやいて、樹はテレビのチャンネルを変えた。最近よく見るお笑い芸人が何人も出てきては大げさにはしゃいでいた。

首の痛みと手の痺れで目を覚ました樹は、時計を見た。二時半だ。

いつの間にかイスに座ったまま寝てしまっていたようだ。テレビもついたままで、いつ始まったのか、昔の映画をやっている。

樹は、立ち上がりようやくスーツを脱ぎ始めた。

＊＊＊

海人と英雄を乗せた車は、厚木のインターチェンジを通過したところで渋滞につかまっていた。そこまで快調に走っていた車が止まったという変化に気づいたからか、助手席で寝ていた英雄が目を覚ました。

「すいません、室長。いつの間にか寝てしまいました」

「いいんですよ。それより、もうすぐ横浜町田インターですが、新井さん、一度ご自宅に帰る必要はありますか?」

「いえ……特には」

「新井さんさえよければ、このまま東京まで行こうと思います。行っても大丈夫ですか？」

「私は大丈夫です」

「わかりました。それじゃあこのまま行きましょう」

海人は、一番左の車線につけていた車を少しずつ一番右のレーンへと移していった。

「今度は東京ですか……」

英雄が独り言とも、質問とももとれる言い方をした。

海人は少し笑った。

「少し覚悟をしておいてくださいよ。うちの会社、特配の扱いが荒いですからね」

「どういうことですか？」

「配達する順番は、効率重視ではなく可能性重視だということです」

「可能性重視……ですか」

「はい。この前なんて僕、岡山まで行って、そのあと福島行って、その次の手紙が姫路でした」

「えっ、そんなことって……」

「それで終わりじゃないですよ。姫路の次、どこだと思います？　また福島ですよ」

「どうして、そんなことに……」

「調査部から上がってくる報告を受けて、配達の順番が決められるんです。たしかに経費の面や移動の効率の面を考えると、近いところはいっぺんに配って回ったほうがいいんでしょうが、ほんの数時間違うだけで、渡せなくなってしまったり、居所を特定し直さなければならないことも多いんです。だから、僕たちは、指示された順番どおりの配達をしなければならないんですよ。現にほら、もし先に、これから向かう東京の重田さんの元に向かっていたら、大阪の嶋さんにお渡しするのは最低でも一日は遅れていたわけでしょ。はたして、それが彼女にとっていいタイミングだったと言えるかどうかです」

「なるほど……」

英雄は妙に納得した。

「その順番は誰が決めてるんですか？」

「麗子さんです」

英雄の脳裏に若林麗子の顔が浮かんだ。

「どういった基準で決められるんでしょう……」

海人は笑った。

「さあ。おそらく勘ですよ。麗子さんは調査部から上がってきた資料を見て、どの順番で配ればいいかを決める天性の勘があるんです」

「どんな天性ですか」

と突っ込みを入れたくなる気持ちを、英雄は抑えた。

「実際に、今まで一件も、順番を変えればよかった……と思うようなことは起きてないんです。逆に、もしタイミングを逃していたら、受取人にとってはあまり意味のないものになっていただろうなというケースばかり。彼女は天才ですよ」

「ふうん。そうなんですね」

英雄は感心した。

たしかにコストはかかる。しかし、依頼人の元へ、その人がいちばん必要なタイミングで届けたいという精神は、ひとつの企業哲学のようにも感じられ、聞く者の胸を熱くするに十分だと思えた。

「それでも、新井さんが慣れてくれれば、配達人が僕と二人になりますので、別の行動をとれるようになります。さっきお話ししたような件も、僕が岡山と姫路を回っている間に、新井さんが福島の二件を担当するってこともできるようになりますからね。だいぶ楽になると思いますが」

「じゃあ、一日も早く私が一人前にならなきゃいけませんね。頑張ります」

ハンドルを握って前方を見つめたままの海人の横顔に向けて、英雄は丁寧に頭を下げた。

「で、次の配達者はどんな人ですか？」

「東京に在住の、重田樹《しげた》さん三十八歳です」

「あれ……二十五歳じゃないんですか？」

「今回、団体で申し込まれてますが、その中には先生のものも入っていまして、この重田さんという方も当時、その島の中学校で非常勤の教師をされていた方です。調査部の調べでは、今は〈会社員〉ということになっています。資料によると、特定された現住所に手紙を送ったら、別人が住んでいたため、さらに調査をすると、今はホテル住まいをしていることがわかった……となっているんですが、資料では一度そのホテルから手紙が戻ってるんですよ。どうしてだろう」

海人は首をかしげた。

「どうしてホテルで暮らしているのでしょうか……」

「さあ、そのあたりの詳しい事情までは僕のほうでは何とも……」

「なるほど、では、今はそのホテルに向かっているんですね」

海人はうなずいた。

「間に合ってくれればいいですが……」

「何がですか？」

「重田さんが出かける前にホテルに到着できれば、ホテルを出たところでお渡しすることができますが、先に出かけられてしまうと、一日ホテルで重田さんの帰りを待たなければなりません」

英雄はぞっとした。

「そうですね、たしかに……」

「それでも、その日のうちに帰ってきてくれればいいほうですよ。ホテル暮らしの会社員ってことは、海外などの出張が多いからかもしれません。世界中を転々としているから部屋を借りるのがもったいないとか……。そうなると、一週間帰らないなんてこともないわけじゃないですからね」

「そういう場合はどうするんですか」

「基本的には待ちます。でも、その日の進捗状況を会社に報告したときに、『飛ばしてください』と指示が出れば、その次の配達者に向かうことになります」

「結構ハードな仕事ですね」

「新井さん、『結構』じゃないです。タイミングが命の、超ハードな仕事です」

渋滞が解けて車の流れが動き始めた。海人はアクセルを踏み込んだ。

＊＊＊

樹は、人混みをよけながら、美羽の後ろをただついて歩くだけだった。

平日ではあるが竹下通りは人でいっぱいだ。この子たちは学校はどうしているのか、樹は不思議になった。まあ、そういう自分の娘もその中の一人ではあるが。

やがて、明治通りに出た。

「もう一回戻る」

美羽《みう》が、原宿に着いてから最初に発した言葉だった。

「ああ、いいよ」

すぐに二人は来た道を引き返して歩き始めた。

相変わらず樹は、美羽の後ろを少し離れて歩くだけだ。少し目を離すと、人混みにまぎれて美羽を見失いそうになる。

品川駅のホームで待っているときは、一刻も早く美羽に会いたくて、その時間が待ち遠しかった樹だったが、いざ新幹線から美羽が降りてくると、まともな会話すらできない。

久しぶりに見る娘は急に大人びて見えた。

着ているもの、アクセサリーやバッグに、「原宿に行くんだ」という気負いが感じられる。ちょっと張り切りすぎな印象は否めないが、田舎の中学生だからしかたがないだろう。濃いめの化粧が滑稽さをいっそう強調している。

樹は「化粧なんてしないほうが美羽はかわいいのに」という言葉を言うべきかしばらく考え、やめておいた。

「おう、原宿に行きたかったんだよな」

樹は挨拶代わりにそう言った。美羽はコクリとうなずくだけだった。そうやって、二人ともほとんど押し黙ったまま、山手線で品川から原宿に向かった。

電車に乗り込むと、まずは一度は聞かなければならない質問はした。

「母さんは元気か?」

「うん……」

予想どおりの答えが美羽から返ってきて、何の広がりもないまま会話はそこで途切れた。

（年頃の娘に、久しぶりに会う父親はどんな会話をするのがいいんだ？）

そのことばかりを考えながら電車の中を見回して、話題になりそうな広告を探した。予備校の広告が樹の目に入った。

「そういえば、もうすぐ受験だな。勉強やってるのか？」

美羽はコクリとうなずいた。

「大丈夫なのか？」

「うん……塾に行ってるから」

「たいへんか？」

美羽は首を振った。

「ううん。宮下塾って塾なんだけど、そこの先生のおかげで勉強は楽しい」

「そうか……」

結局、電車の中での会話はそれだけだった。

とにかく樹にとって、品川から原宿までの時間がこれほど長く感じられることはなかった。ただ久しぶりに娘に会う父親として緊張はしていたが、この時間は嫌ではない。むしろ長く感じることが嬉しいというちょっと普通ではない感情に浸っていた。

原宿駅側の竹下通りの入り口が見えるところまで戻ると、美羽は踵《きびす》を返して、もう一度通りを歩き始めた。しばらく歩くと美羽はひとつの店の前でふと足を止めた。美羽が見上げた視線の先が目当てのお店なのだろう。美羽は無言で階段を上って店の中に消えていった。樹は、後をついて階段を上り、ちょっと離れたところでその様子を見守っていたが、店内が女子中高生でいっぱいになってくると、おじさんがひとり、その中にいることに気恥ずかしさを覚え、店の外に出た。

どこで何の情報を頼りにやってくるのか、流行の店の前には常に行列ができる。それでも、不満そうな顔をしている者は、誰もいない。十二月の寒さのなか、外で並ぶのも苦にならないのは若さゆえのことだろう。

「再来週の水曜日、美羽が東京に行きたいと言ってます。よろしくお願いします」

およそ夫婦らしからぬメールが綾乃から届いたのは二週間前だった。

それ以降のメールのやりとりは全部美羽とだった。

「はぁ」

待ちくたびれた樹がため息をつくと、吐く息が白くなった。

ふと駅の方向を見上げると、人混みの中に一際目立つ二人組が歩いているのがわかった。

「誰、あれ、芸能人？」

周囲から口々にささやく声が聞こえる。異変に気づいたのは樹一人ではないようだ。

「いや、見たことないよ」

「でも、あの格好、絶対、誰か有名人だよ」

「なんかの撮影かもね……」

女子中学生らしき二人のテンションが、お互いの会話でどんどん上がっていくのがわかる。


二人は、真っ白のスーツの上下に、真っ白い帽子を被り、足元はウイングチップの白黒の靴を履いている。全身白で統一した出立ちは遠くからでもよく目立つ。

前を行く若者は、たしかに俳優かもしれない。モデルのような長身で、若い子が好きそうな顔立ちをしている。手にしているのは、アルミのアタッシュケースだ。しかし、少し後ろを歩いているもうひとりも、俳優なのだろうか。自分と同じ年代かもう少し上のようにも見えるが、テレビなどで見たことはない。

たしかに何かの撮影なのかもしれない。樹は自分の周囲をキョロキョロと見回してみたが、撮影用のカメラのようなものは見つからない。

そうこうしているうちに、白い服を着た二人組は、樹の前までやってきて、立ち止まった。

樹が慌てて周りを見渡すと、自分を中心に一歩も二歩も下がったところに人の輪ができている。目には見えない結界があって、周りは人でごった返しているというのに、その輪の中には誰も入ってこようとしないのだ。

「俺……に何か用ですか？」

樹は恐る恐る尋ねた。

「初めまして。私、株式会社タイムカプセル社の吉川海人と申します。重田樹さまでお間違いありませんか」

若いほうの男が尋ねた。

樹は、驚いて頬をこわばらせた。

「えっと、はい。あの、今は違いますけど、以前は重田樹でした」

樹はためらいながら答えた。

＊＊＊

「何これ、何これ、ねえ、これ何かの撮影かなぁ」

女子高生三人組が、ソワソワしながら、隣の友だちと一緒に、テレビカメラを探している。

海人が笑顔を向けて、

「撮影じゃないですよ。僕たちも一般人」

そう説明した途端、先ほどの結界は解け、周囲の人だかりが動き始めた。動いていないのは、白いスーツを着た二人の男と、それを不思議そうに見つめている樹だけだ。

「お名前が変わったんですか？」

海人が聞き返した。

「はい、今は磯川樹です」

海人は英雄と顔を見合わせた。

「どうりで、だから手紙が戻ってきてしまったのかもしれませんね」

海人は英雄が抱えているアタッシュケースを開けて一通の手紙を取り出すと、それを樹に差し出した。

「十年前、あなたが瀬戸内南中学校の非常勤講師をされていたとき、卒業生と一緒に、十年後の自分に向けて手紙を出されたのを覚えていますか」

樹は眉をひそめた。

「手紙……ですか？」

「はい。私どもはその手紙をお届けに参りました」

樹は怪訝《けげん》そうに、いっそう顔をしかめると、海人が差し出した手紙の宛名を見た。たしかに自分の筆跡で、「重田樹様」と書いてある。住所は、そのときだけ住んでいた島のアパートのものらしい。どんな場所のどんなアパートだったたか、そこでどんな暮らしをしていたのかは覚えているが、住所までは覚えていなかった。

「そんなことが、ありましたっけ……」

樹はゆっくりと手を伸ばすと、それを受け取った。

「それにしても、よく今日、ここにいるってことがわかりましたね」

樹は驚きの表情を隠さずに言った。

「今朝ホテルに伺いましたらちょうど、お出かけになるところでしたので、失礼ながらあとを追わせていただきました」

「何それ？」

急に、若い女の子の声がした。

海人と英雄の目線につられて樹が振り返ると、美羽が立っていた。

「ああ、どうやら十年前のお父さんが、十年後の自分に宛てて書いた手紙らしい」

「へぇ」

美羽の声が明るくなった。

「なんで、今ここで渡されてんの？」

「私たちは、お手紙をお預かりして、指定された未来の日付にそれをご自身に配達するサービスを行っている会社の者です」

樹の代わりに海人が答えた。

「えっ、十年前に自分に出した手紙が、今ここに届いたってこと？　それってスゴくない⁉」

驚いている美羽に海人は名刺を差し出した。

「吉川海人さん」

美羽は名刺の名前を読み上げた。

「こんにちは」

海人は、美羽に向かって丁寧にお辞儀をした。

「こんにちは」

美羽も笑顔で応えた。

「これって、私も出せるんですか？」

「もちろんです。名刺の裏にあるQRコードを読み込めば、携帯から詳しい情報を読むことができますよ。興味があればぜひ……」

「ねえ、お父さん。面白そうだから、出してもいい？」

「え？　今？」

美羽は目を輝かせてうなずいている。

「だって、原宿に来た記念にもなるし、未来の自分に届けてくれるんでしょ。すっごい偶然なんだけど、このお店を出たら、次はかわいいレターセットを探しに行こうって思ってたんだよ！

これって今、ここで書けってお告げじゃない？　しかも、こうやってわざわざ探し出してまで持ってきてくれるなんて、なんか劇的。ドラマみたいでワクワクするじゃん！」

「いや、でも」

樹は海人と英雄の顔を交互にうかがい見た。

「もし、よろしければ、私たちは手紙を書く間、お待ちしますよ」

海人は優しく笑顔を向けた。

樹と美羽、海人と英雄の四人は連れだって表参道のカフェに入った。

美羽は一人で別のテーブルに座り、運ばれてきたパンケーキを食べながら、ペンを走らせている。残った大人三人は、通り沿いのテーブル席に案内され、美羽が手紙を書き終わるのを待つことになった。

お店は二階にあり、窓からは、表参道を歩く恋人たちがクリスマスのイルミネーションを楽しそうに見上げている様子がよく見えた。

「こんな手紙、書いていたんですね」

樹が手元の手紙を見ながら言った。封はまだ開けていない。

「正直、あの頃のことはあまりよく覚えていないんですよ。先生をやったのもあの一年だけでしたし、本気でというよりは、しかたなくやっていた仕事でしたからね」

「しかたなく……ですか？」

海人が聞き返した。

「ええ。実は私、プロゴルファーなんです」

「プロゴルファーですか？」

樹は頭をかいた。

「まあ、『です』と言うか、『でした』と言うべきか、お二人がイメージするプロゴルファーは『ツアープロ』のほうだと思いますが、私はツアープロを目指す『ティーチングプロ』。まあ、いわゆるレッスンプロでした」

「そうなんですね」

「その頃、レッスンをしていた人の中に、妻のお義父さんがいました。そのうち、彼女もレッスンを受けに来るようになって……そこで、つき合い始めて、あの子が生まれました」

樹は美羽のほうをちらっと見た。

「美羽といいます」

「美羽ちゃん」

海人は復唱した。

「妻の父親は、大きな造船会社の重役で、何の実績もないゴルファーとの結婚に大反対でした。それでもなんとか頼み込んで、そこで義父が結婚の条件として挙げたのが、私が磯川姓になることでした。妻は一人娘なので」

「それでお名前が」

海人が合いの手を入れた。

「結婚していちばんの問題はお金でした。彼女の実家に頼めばいくらでも、なんとかできたのかもしれませんが、自分がどんなことをしてでも幸せにしますって言った手前、そんなことはできません。でも、運悪く、ゴルフも競技人口そのものが激減していった時期と重なって、ティーチングプロを雇ってくれる練習場もどんどんなくなっていったんです。ツアーに参加するためのトーナメントにも参加し続けましたが思うような結果を残せませんでした。

なんとか数年はティーチングプロとして生活できたのですが、その後、私が雇われていたゴルフ場が閉鎖になり、あわせて私も職を失いました。しかたなく大学時代の友人に口を利いてもらって、非常勤講師の口を見つけてもらったんです。私は大学で教育学部だったので教員免許は持っていたし、先生をやってる友人も多かったんです。

ところが話が二転、三転して、島の中学校に配属が決まりました。まあ、非常勤なので一年くらいは、ということで我慢をして、単身赴任をしました。この住所は、そのとき住んだアパートのものです」

樹はあごをしゃくって、テーブルの上に置かれた封筒の宛先を指した。

「そのとき、友人が私のことを『重田』という名前で先方に紹介してあったので、名前はもう磯川でしたが、『重田先生』で統一しましょうということになったんです。詳しい事情は知りませんが、そうしましょうと校長から言われました」

「どうして、一年で辞めてしまったんですか？」

海人が尋ねた。

「教員採用試験を受けるための勉強を一年でしっかりして、次の年に本採用してもらえるように頑張るという約束を、妻とも妻の父親ともしていました。でも……全くやる気になれませんでした」

「どうしてですか？」

「ひとつには、やってみて、先生という仕事が自分に向いていないような気がしたんです。子どもたちとずっと一緒にいるのも、先生という人種の中で周りに気を遣いながら仕事をするのも、自分にとっては苦痛以外の何ものでもありませんでした。やっぱり、自分はひとりで自分と向き合いながらやる仕事じゃなければ向いてないということがわかったっていうか……。でも、実は、一番の理由はやっぱり……」

「ゴルフですよね」

海人が言った。

樹が無言でうなずいた。

「やっぱり、夢だったツアープロになって賞金を稼いでって、そんな人生にあこがれていたんです。先生になるための勉強をしなきゃって思うたびに、ゴルフのことが頭から離れなくなるんですよ。こうしている間にも、ライバルたちは毎日練習していると思うと苦しくなるんです。新しく出てきた自分よりも若い選手がどんどん活躍して、賞金王争いをしているというニュースにも、心をかき乱されました。ツアープロになるための年齢資格に上限がないのを知っていますか。自分より若い選手だけじゃなく、年上の選手がツアープロになったというニュースのほうが精神的にはキツかったかもしれません。

その心を静めるために、仕事帰りに打ちっぱなしでもできればよかったんですが、残念ながら、あの島にはゴルフの練習場なんてなかったんです。

結婚して子どもができたから、子どもの頃からの夢をあきらめていいのかって、いつも自問している自分がいるんです。そのくせ、自分は先生という仕事をしている。先生っていうのは、子どもたちに未来を語るんですよ。夢を持てとか、あきらめなければ夢はかなうって……ところが、当の本人があきらめているわけですから、何にも言えなくなりますよ。

ああ、俺は、こいつらに何かを偉そうに言える立場じゃないなって、思うわけです。

それからは、できるだけ偉そうなことは言わず、関わらずって思いながら、ただその日をやり過ごすことだけに集中して毎日を過ごしました。

それを見かねた同じ学校のある先生が――私はその先生と一緒にテニス部の顧問をしていたんですが――ある日、すれ違いざまにテニスボールを『ホイッ』って言いながら次々投げてくるんですよ。私も次々受け取っていったんですが、五つ目のボールを取り損ねて落としてしまったんです。そしたら、彼が『今、手にしているボールを手放さなければ新しいボールは受け取れないんじゃないの？』って。私は、その言葉で、吹っ切れた気がしたんです。本当にツアープロになりたければ、ほかのものを手放してでもそれをつかみにいかなければならないんだって」

「それって……」

英雄は思わず口を挟みそうになったが、余計なことは言うまいと、すぐに言葉を呑み込んだ。樹はすぐに英雄のほうをちらっと見て微笑んだ。

「わかっています。その先生は、いつまでも『ゴルフ』というボールを握っていたら、『教師』という新しいボールをキャッチすることなんてできないよってことを教えてくれていたんです。でも、当時の私は、それを自分に都合よく解釈することにしました。自分の中で答えは決まっていたんだと思います。ただ、誰かに少し背中を押してもらいたかった。だから、何かを教えてくれようとしたその方の意図とは真逆の意味に、無理矢理その言葉を使ったんですね。私は、妻の両親のところに頭を下げに行きました。
賞金を稼げるツアープロになって、娘さんを幸せにします。でも、仕事をしながらとい
う二足のわらじではとても無理です。ゴルフだけに専念したい。だから、それまで生活費
の面倒を見てもらえないかって。でも、『君には無理だと思う』の一点張りでした。当然
と言えば当然です。結婚してからティーチングプロとして四年もやっていて、その間、待
っていてくれたわけですから。それでも最終的には『三年間だけ』という条件付きで、許
してもらえることになりました」
樹は海人と英雄の顔を交互に見据えたあと、少し寂しげな笑顔を見せて、両手を横に広
げた。
「結果は……見てのとおりです」
英雄はどんな表情で樹の話を聞いていればいいのかわからなくなり、樹から目をそら
し、さりげなく海人のほうを見た。海人は相変わらず微笑みながら、樹のほうをじっと見
据えていた。英雄も慌てて、笑顔をつくり、樹を見つめ直した。
「結局、ツアーの本戦に出ることは一度もないまま、あっという間に三年間が過ぎまし
た。もう少し頑張れば、行ける気はしたんです。一打差で本戦出場を逃すということも一
度ありましたから。でも、約束は約束です。私は約束どおり、ツアープロの夢をあきら

め、義父の会社に入ることになりました。

それからは、ほぼ会社の奴隷です。最初は単身赴任用にと東京にワンルームのマンションを買ったんですが、結局は営業で日本だけじゃなく世界中に行かなければならないので、マンションは人に貸してホテル暮らしをしています。幸い、ホテル代は会社が払ってくれていますから、そっちのほうが便利なんです」

「奥さまとお子さまがいるご自宅には戻らないんですか？」

樹は首を振った。

「ここ数年は一度も帰ったことがないですね。実質上、別居状態です」

樹はコーヒーをすすって、美羽のほうをチラッと見た。

「帰ることを奥さまから拒まれているんですか」

海人はどんどん立ち入るような質問をしていく。英雄はハラハラしながらそれを聞いていた。

「……」

樹は無言で首を振った。

「わかりません。でも、ゴルフに専念していた期間、ずっと別居をしていて、家族のことも娘のことも顧みずゴルフばかりをやっていた手前、ダメだったからって『ただいま』ってわけにはいかないですよ。バツが悪いというか、どの面下げて帰れるっていうんですか。それに、妻から『帰ってきてほしい』のひとこともありませんし……たぶん、亭主元気で留守がいいって思っているんじゃないんですか……」

樹は、そこまで言うと、コーヒーをすすった。

「案外時間がかかるもんですね。手紙を書くのって。すみません、お待たせして」

樹は美羽のほうを見ながら言った。海人は笑顔のまま首を横に振った。

「ゆっくり書いてもらって結構です。待つのは慣れてますから。それより……」

海人は視線をテーブルの上の手紙に移した。

「読まれないんですか？　ご自分からの手紙」

樹は苦笑いをした。

「タイムカプセルなんてどうせお遊びで、一年で辞める自分の元には届くわけないって思い込んでたでしょうから、まじめに書いてないと思うんですよ」

「それでも、ご自身からご自分に向けてのれっきとしたメッセージです。読んでみたらいかがですか？　僕たちは席を外しますよ」

「そうですか？　じゃあ、読んでみようかな」

樹は照れくさそうに頭をかきながら手紙を手にした。海人は英雄を目で促すと、立ち上がり、樹が一人で読めるように、二人で美羽のいるテーブルに移った。

「どう？　進んでる？」

美羽は慌てて書いている手紙を肘《ひじ》で隠した。

「恥ずかしいから見ないでくださいよ」

「ごめんごめん。お父さんが、さっきの手紙を読む間だけ、ちょっとここにいさせてよ」

海人が笑顔でそう言った。

「いいですよ」

そう言うと、美羽はテーブルの上いっぱいに散乱していたレターセットを整理して自分の方へ引き寄せた。英雄は座りながら、樹のほうに目をやった。封筒を開けて、中から手紙を取り出しているところだった。

「もう少しで終わりますから、ちょっと向こう向いててください」

美羽は笑いながらそう言った。

海人も英雄も大げさにあごをあげて目線を上にした。

「これでいいかな」

「はい。そのままちょっと待ってくださいね……っと、はい、できた」

そう言うと、美羽は書き終えた便箋の束を机でトントンとそろえて、まとめて内側に三つ折りにした。

「えっと、宛名は自分で、住所は今住んでるところでいいんですよね」

「そうだよ」

海人が言うと、美羽は封筒に住所を書き始めた。

「お父さんにはよく会いに来るの？」

海人は下を向いたままペンを動かしている美羽に話しかけた。

「そうでもないです。今日、会ったのが一年半ぶりかな」

美羽はこともなげに言った。

海人と英雄は一度顔を見合わせた。

「それじゃあさみしいでしょ」

美羽は何も答えなかった。

「できた！　これでいいですか？」

「ああ、大丈夫だよ。何年後の自分に届けてほしいかな？」

海人は笑顔をつくって、それを受け取った。

「十年後でお願いします」

「それじゃあ、十年後にお届けします」

「お願いします」

「たしかに」

そう言うと海人は、上着の内ポケットにその手紙をしまった。

「おっと、君のお父さんが、手紙を読み終わったみたいだから、ちょっと行ってくるね。君はこのおじさんと、ここで待っててくれるかい」

海人は英雄の肩に手を置くと、そう言って立ち上がり、席を離れた。

英雄はすがるような目で海人の後ろ姿を見つめていたが、戻ってくる気配もないので、しかたなく目の前の美羽を見た。同じように英雄のことを見つめていた美羽と目が合った。

英雄は慌てて笑顔をつくったが、引きつった笑いになっているのが自分でもわかる。

「美羽さん……だよね。中学二年生？」

「三年です」

「ってことは受験が近いんじゃない？」

美羽は苦笑いをしてコクリとうなずいたあとで、表情が暗くなった。

英雄は選んだ話題が悪かったと感じて、その話題を広げるのをやめた。しばし沈黙が流れたが、このまま黙ってお互い時間が過ぎるのを待つわけにはいかない。英雄は続けて話をした。

「私にも、中学三年生になる娘がいるんです」

「へえ」

美羽は意外そうな表情で英雄の顔を見た。しかし、美羽以上に驚いていたのは、実は英雄のほうだった。どうしてそんな話を始めたのか、自分でもわからない。

「仲いいんですか？」

英雄は苦笑いをして首を横に振った。

「美羽さんと同じです。最後に会ったのが一年半前なので……」

「じゃあ、きっと娘さん、会いたがっていると思いますよ」

「さあ、どうでしょうか」

「絶対ですよ。なんで会いに行かないんですか？」

「私に愛想をつかして、妻が子どもを連れて家を出て行ったんですよ。そんな父親と会いたいと思いますか？」

「関係ないですよ」

美羽が語気荒く言った。

「え？」

「関係ないじゃないですか、会いたくないと言ったのは奥さんのほうで、お子さんじゃないでしょ。奥さんと会わなければいいだけで、子どもとは会えばいいのに……会いたくないんですか？」

英雄は、美羽が自分に言っているのではなく、樹に言いたいことを口にしているのだと思った。美羽も、英雄にそう思われていることに気がついていながら、父親に対する思いをぶちまけようとしていた。

「会いたいですよ、もちろん」

「じゃあ、会ってあげてくださいよ。だって、だって……そうしないと」

美羽の目がみるみる涙で潤み始めた。

「子どもは愛されてないんじゃないかって、私のことが邪魔なんじゃないかって、自分のせいでパパはいなくなったんじゃないかって……思って、生きてるかもしれないじゃないですか」

美羽はポロポロ涙をこぼしながら、うつむいてしまった。

英雄はポケットからハンカチを取り出して差し出した。

美羽の様子に胸が締め付けられる。

「そうですね。美羽さんの言うとおりかもしれません。今度、連絡してみようと思います」

美羽はひととおり涙を流しきると、落ち着きを取り戻して鼻をすすった。

「ごめんなさい。偉そうなことを言って。えっと……お名前がわからないですけど……」

「新井と申します」

「新井さんには新井さんの事情があるってわかってますから、無理しないでください」

英雄はいたたまれない気持ちになっていた。目の前の美羽が、自分の娘が言いたいことを代弁して自分に伝えているように思える。

新井さんの事情があるってわかってますから――とても、中学三年生の女の子が言う台詞ではない。そこまで深く、繰り返し、自分と父親とのことで苦しんできたのだろう。子どもとしてわがままを言いたい自分と親のお荷物にはなりたくないという自分が、心の中でずっと戦ってきたのだろう。

「それより、このパンケーキ食べました？」

美羽は涙を拭きながら話題を変えた。

「いえ、私は」

「絶対食べたほうがいいですよ。これ、私もう食べられないんで、もしよければ、全部食べてください」

美羽は、そう言ってテーブル上の小さなトレーの中から、新しいフォークを一本取り出し、英雄に差し出した。英雄は断り切れず、そのフォークを受け取ると、クリームのたくさんのったパンケーキを口にほおばった。

「うん、おいしいですね」

「ですよね」

美羽は笑って見せるが、泣いたばかりなので、目も鼻もまだ赤い。

「……ありがとう」

英雄は頭を下げた。

美羽は、顔の前で右手を激しく振った。

「いえいえ、私、本当にもう食べられなかったんで、食べてもらって助かりました」

英雄は美羽の気遣いに対して礼を言ったつもりだった。英雄の様子を見て、とっさに何かを感じ取り、パンケーキの話題に変えたのも、きっと美羽なりの気遣いだろう。

「やあ、お待たせしたね」

英雄と美羽が同時に声のするほうを見ると、海人が立っていた。

「お父さんは？」

美羽が聞いた。

「トイレに行ってから、戻ってくるって」

海人が立ったまま答えた。英雄は雰囲気を感じ取って立ち上がった。

「それじゃあ、僕たちは、ここで失礼しますね」

「あ……はい」

「先ほどの手紙は十年後にお届けします。そのときまで覚えてられるかな？」

「もちろん！」

美羽は笑顔でうなずいた。海人も笑顔を向けた。

「お父さんとのデート、楽しんでね」

美羽は小さくうなずいた。

海人は、帽子のひさしに軽く手を触れると、ゆっくりと美羽に対してお辞儀をした。英雄も慌てて海人の真似をした。が、英雄が身体を起こしたときには、海人はもう振り向いて歩き始めていた。


樹がトイレから帰ってきたのは、それからしばらく経ってからだった。

「遅い、お父さん。置いていかれたのかと思っちゃったよ」

「ごめん、ごめん、なかなか出なくて」

「汚い！　もう」

「で、これからどうする？　どっか行きたいところあるのか？」

「う〜ん……」

美羽は考え込んでしまった。

「父さんと、ゴルフの打ちっ放しにでも行くか？」

「ええ、今から？」

そう言いながらも、美羽の顔は明るかった。

「やったことないから、できないよ」

「父さんは、教えるプロだって忘れたのか？」

「でも、こんな格好じゃあ」

「よし、じゃあ、まずゴルフウェアを買いに行こう」

「そんな、わざわざ買ってまで行かなくてもいいよ」

「いいや、やっぱり形から入るほうが、やる気になるだろ」

美羽はため息をついたが、まんざらでもないという顔をしている。

「近くのお店知ってるの?」

樹はうなずいた。

「女子中学生が好きそうなお店の知識は全くないけど、ゴルフショップの情報には結構詳しいからね」

「自慢にならないよ、それ」

「よし、そうと決まれば、行こう」

樹は、伝票を持って立ち上がった。美羽が小躍りするようにそのあとを追った。まったく会話がなかった先ほどまでとは打って変わって、二人とも話したいことが次から次へと出てくるようになっていた。

＊＊＊

車に乗り込んだ二人はどちらも無言だった。

海人が時折、ちらちら英雄のほうを見たが、英雄は窓の外を見つめていた。

「次はどこに行くか、聞かないんですか？」

「ああ、えっと、次はどこに？」

海人はクスリと笑った。

「次は苫小牧に向かいます。今は羽田に向かっています。結局、昨日は入れ違いで重田さんに会えませんでしたから、ちょっと急いで今日のうちに北海道に移動しておきましょう」

「わかりました」

英雄の反応に、海人は言った。

「ええ！　苫小牧っすか！　北海道っすか！　とか、ズワイガニっすかとか、もっとリアクションあると思ったんですけど、結構あっさり受け入れましたね、新井さん」

「すいません」

「どうしたんですか、さっきから難しい顔をして」

海人は明るく尋ねた。

「さっきの重田樹さんの娘さんの美羽さんと話しているうちに、自分の娘のことを思い出してしまいまして……」

「ええ！　新井さん、娘さんがいらっしゃるんですか……ってまあ、いてもおかしくない年齢ですよね」

英雄は苦笑いをした。

「さっきの娘さんと同じ中三になりますが、もう一年半ほど会っていません」

「そうなんですか……」

「会社を起こしてからは、ほとんど家に帰る暇もなく働きづめでした。それこそ昼夜を問わず。会社が倒産したあとも同じです。気づけば家族で過ごす時間はなくなり、妻と娘はいなくなっていました」

車は首都高に乗った。

「さっきの重田さんの話を聞いてて、なんて言うんでしょう、ちょっと違和感があったんです」

「わかりましたよ。顔に出てましたよ」

「本当ですか?」

英雄は慌てた。

「ええ、ちょっと怒ったように見えましたよ」

「すいません。以後、気をつけます」

「大丈夫ですよ。僕もたぶん顔に出てましたから」

海人は笑った。

「これでも、元経営者ですから、重田さんの言ってることに、同情することはできても、賛同することはできなかったんです」

「どういったところがですか？」

「彼は、今でもツアープロになれなかったことを引きずって生きています。でも、それ以外には、普通の人が聞いたらうらやむようなものばかり手に入れてきました。お金持ちの令嬢と結婚して、好きなことをやるチャンスを何年ももらえて、ご本人は気づいていないかもしれませんが、奥さんのお父さんも、なんだかんだで彼がゴルファーとして成功することを応援しているのがわかりますよね。でも、そのチャンスを活かせなかった。でも、それがうまくいかなかったら今度は、大手の造船会社に就職できて、都会のマンションを購入したけどそこは人に貸して家賃収入を得て、会社が用意してくれるホテルに住む。普通の人が聞いたら、泣いて喜ぶような幸運の人生じゃないですか。でも、彼は『会社の奴隷だ』と言っていました」

英雄は厳しい表情のまま続けた。

「俺を救ってほしい、俺をなんとかしてほしい……と思って生きてる人にとって会社は、自らを奴隷にする場にしかなりません。でも、会社を救ってあげたい、会社を何とかしたい……と思って生きている人は、決して会社の奴隷なんかじゃありませんよ。むしろ会社の救世主、ヒーローです。『俺は会社の奴隷だ』と言う人は、自分から奴隷になりに会社に行ってるんですよ。自分の人生を救ってもらうために会社に行っている。でも、それは会社にとってはお荷物ですね」

「結構手厳しいですね」

「一般論ですよ。重田さんに対して言ったんじゃありませんよ」

英雄は、ちょっと声のトーンを落とした。

「話を聞いていると、重田さんは会社に対して甘えているだけじゃないかって思って、胸のあたりがザワザワしてきたんです。その結果、殻に閉じこもるのはいい。彼の問題ですからね。でも、でも、でも……」

「それによって、もっとつらい思いをしているのは、あの子だということですね」

海人が言葉をつないだ。英雄は目に涙をためながらうなずくことしかできなかった。

「彼女は、自分が生まれてきたせいでお父さんは夢をあきらめなければならなかったのかもしれない、自分のせいでお父さんは幸せを感じられないかもしれない、自分のせいで、お父さんは家に帰ってこないのかもしれない……そんなことを思って苦しんでいますね」

英雄はうなずいて、答えた。

「私は、重田さんに偉そうなことを言えません。結局、私の娘に対して同じことをしてしまっているんですから。そのことに気づいて、自分のことを棚に上げて重田さんにずいぶん失礼なことを考えてしまったという罪悪感と、自分が自分の娘にしていることを、そのまま見せられたような気分になって……」

「彼女、泣いてましたね」

「ええ、娘に会ってあげてくれってお願いされました。子どもは、愛されてないいんじゃないかって、私のことが邪魔なんじゃないかって、お父さんは私のせいでいなくなったんじゃないかって……思って生きてるかもしれないじゃないですかって言われました。自分の娘に言われているんだと思いました」

英雄はうつむいてしまった。海人が優しく声をかけた。

「チラッと見えた手紙に、美羽ちゃんが書いていることは、お父さんのこと、お母さんのことばかりでした。本当はそれを重田さんに言いたかったんでしょうね。重田さんも本当はきっと立ち直るきっかけというか、考え方を変えるきっかけを探しているんだと思います」

「そうでしょうか……」

「そうであってほしいじゃないですか。だから、僕はそう信じています。今回のことが、そのきっかけになればいいんですけどね」

「そうですね……」

「人ごとみたいに言ってますけど、新井さんにも言ったつもりですから」

「……」

「彼女の言うとおりだと思いますよ。一年半も会っていないなら、連絡してみたほうがいいんじゃないですか？」

「彼女と話をしていて、今まで娘に連絡しなかった理由に気づいたんです。情けない話、勇気がなくて、怖くて逃げてるだけでした。会いたくないって言われたらどうしよう、受け入れられなかったらどうしようって、自分のことばかり考えていたんです。でも、本当は娘のほうがもっと傷ついているんですよね。だから、自分は拒否されてもいいから、娘のことを愛しているし、娘がいるおかげで頑張れてるってことを伝えたいって思えてきました」

「出会えて人生が変わったのは、重田さんじゃなくて、新井さんのほうだったのかもしれませんね」

車はすでに湾岸線に入っていた。それほど混んでいない。この調子ならあと二十分ほどで羽田に着きそうだ。

「そのためにも、早く仕事を終わらせましょうか。あと十一日以内に三通です」

「はい」

海人の笑顔につられて、英雄も笑顔になった。

海人は英雄よりも二回り近くも年下なのに、超然としている。

それでいて、嫌味がなく、誰からも好かれるタイプだ。仕事もできるし、機転も利く。ここまで仕事ができると少々天狗になってもおかしくないのに、そういったところもない。新人の英雄に対しても年長者に対する礼儀を忘れないまま、上手に仕事を教えてくれている。その笑顔で、こっちまで心が軽く、温かくなってしまう。

どうしたら、こんな素晴らしい若者が育つのかと、経営者という視点から見ようとする自分がいる。実際に、英雄が経営をしているときに、いちばん難しかったのが、人材の育成だった。まさに、目の前にいる吉川海人のような社員を育てたいと思っていたが、成功した試しがない。

「どうかしましたか？」

英雄の視線に気づいて、海人が声をかけた。

「いいえ、でも、これから苫小牧って……北海道ですか。この真冬に？　服装、これで大丈夫ですかね」

海人は声をあげて笑った。

「新井さん、反応遅すぎますよ」

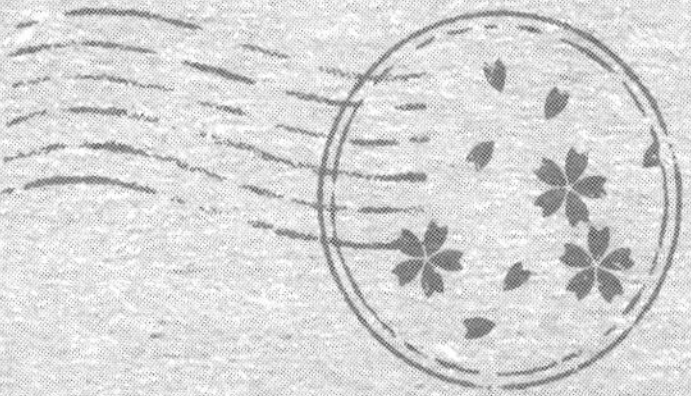

森川桜

@北海道・苫小牧

「本田《ほんだ》さん、それやったら、あがっていいよ」

店長の安藤《あんどう》が言った。

「わかりました」

本田桜《さくら》は返事をして、業務用食洗機の中に並んだ洗いあがった器を棚に並べていった。

それが終わると、更衣室に入り、頭に巻いていた手ぬぐいを取る。汗で髪が額に張り付いている。

ラーメン屋のアルバイトも板についてきたが、服や髪に染み付くこの豚骨スープのニオイだけはどうしようもない。家に帰って真っ先に入るシャワーの時間が長くなった。

着替えて店の外に出ると、さっきまでの晴れ間が嘘のように、横殴りの吹雪が顔に打ちつけられた。

桜にとっては、苫小牧で迎える最初の冬だ。

十二月でこの寒さなのだから、これからいったいどこまで寒くなるのか？　考えるだけで怖くなる。

急いで駐車場に停めてあった黄色い軽自動車に乗り込んだ。ところが、キーを回しても車は、キュルキュルキュルキュルという鈍い回転音を響かせただけでエンジンがかからない。次にキーを回したときには、何の反応も示さなくなった。

「ウソでしょ……」

桜は焦って、もう一度キーを回したが、やはり何の反応もなかった。

店に戻って店長の安藤か誰かに助けてもらうしかなさそうだ、と思い始めたところで、車の窓に人影を感じた。

真っ白いスーツに帽子を被った若者がひとり、笑顔で運転席にいる桜の顔をのぞき込んでいる。その後ろには、同じような格好をした男がもうひとり、立っていた。

＊＊＊

「この店ですね」

海人は、新千歳空港で借りたレンタカーをラーメン屋の駐車場に停めた。どんよりと低く垂れ込めた黒い雲から、絶え間なく雪が落ちてくる。海から吹いてくる強い風が路面に落ちたばかりのその雪を横に吹き流していた。

「大阪の嶋明日香さんのときみたいに、アルバイトが終わるまで、ここで待つんですか？」

「そうですね。そうしましょうか。幸いここの駐車場は広くて、適度に車が停まっていますから、ずっと停めておいても大丈夫でしょう」

「でも、店の中が見える場所に停めたら、ほかの車の様子が見えなくなる死角がたくさんできますし、どこに停めるかがちょっと難しそうですね」

海人は英雄の言葉に返事をせず、駐車場全体を見渡していたが、やがて、ある方向を指さして言った。

「あそこにしましょう」

「でも、あそこは店の裏側ですから、店の中の様子が見えなくなってしまいますが……」

「きっとあの裏から出てくるはずですし、ほら、あの車。あれだけ、神戸ナンバーです」

英雄は海人が指さした先の、黄色い軽自動車を見た。

「はい……」

「きっとあれですよ。森川《もりかわ》桜さんは、ここに来る前、尼崎に住んでいたことがわかっています」

海人は神戸ナンバーの車の右斜め向かいに車を停めた。その位置からだと車の運転席と、店の裏口がよく見える。

「出てきたときに渡すんですか？」

英雄の質問に、海人は少しだけ苦い表情をした。

「う～ん、ちょっと迷っています」

「というのは？」

「配達困難者の中には、取扱要注意人物という分類があって、今回の森川桜さんにはその印がついています」

そう言いながら、海人はファイルの表紙を英雄に見せた。たしかに「取扱要注意」という赤い判が押されている。

「どう、注意が必要なんですか？」

「ケースバイケースですから、一件一件違うんですけど、森川さんの場合は住所を特定できなくしたのが、本人の意思である可能性があるということです。要は、居場所を誰にも知られたくないということです」

「夜逃げ……ってことですか？」

「彼女の場合は、そうではないようですね」

海人が資料をめくりながら言った。

「詳しい事情はわかりませんが、とにかく彼女は自分から行方をくらまして、それまでつき合いのあった人たちとの交流を意図的に絶っているようです。調査部はそういう人もしっかりと調査して、居所を探し出してしまいます。そこに、僕たちが現れて、ただ手紙を渡して去っていくと、その人は、怖い思いをすることになるわけです。誰にも教えていないはずなのに、どうしてここにいるってことがわかってしまったんだろうって。僕たちは、手紙を渡して自分の仕事を終えるからそれでいいですが、届けられた側は、それからずっと怯えながら生きなければならないかもしれませんからね」

「たしかに……そうですね」

「この仕事では、少なからずそういう人たちに出会います」

「手紙を受け取ることで幸せになる人ばかりじゃない、ということですね」

海人は寂しげに小さく笑ってうなずいた。

英雄は大阪で嶋明日香、東京で磯川美羽と出会えたことで、移動はたいへんではあるが、感動の多いこの仕事はいい仕事だと感じていた。でもそれは、この仕事のいい面ばかりを見てきたからだけなのかもしれない。

「でも、まだ嫌がられるって決まったわけじゃありません。とにかく様子を見ましょう」

海人は努めて明るく言った。

「何か、いい対処法があるんですか？」

英雄の問いが終わらないうちから、海人は首を横に振っている。

「正解はありません。その場の状況に応じて、ベストを尽くすということだけです」

非常に難しいことに違いないが、海人は落ち着いている。

「それにしても、調査部はすごいですね。いったい、どうやって……」

英雄の言葉を海人が人差し指を立てて制した。

「彼女が出てきましたよ」

海人がラーメン屋の裏口の方向を見ながらあごをしゃくった。

店から出てきた桜は、小走りに車の元へと急ぎ、すぐに黄色い軽自動車の運転席に乗り込んだ。車のあとを追うつもりで、海人はシフトレバーをドライブに入れたが、桜の乗った車は動き出す気配がない。海人はサイドブレーキをかけ、シフトレバーを再びパーキングに入れ直した。

「エンジンがかからないみたいですね。今、行きましょう」

「は、はい」

英雄は慌てて車を降りた。

強い風が急激に身体を冷やす。この吹雪の中、上下白のスーツでは寒いのも当たり前だ。思わず背中が丸くなるが、海人は春の陽気の中を歩くように、スタスタと歩いていく。英雄も慌てて背筋を伸ばした。

海人は、桜の車に近づくと笑顔を向けた。相変わらず感じのいい笑顔だ。誰もがその笑顔に警戒心を解いてしまう。海人に気づいた桜が、窓を少しだけ開けようとしたが開かない。しかたなく、扉を少しだけ開けた。

「エンジン、かからないんですか？」

「そうなんですよ」

桜は苦笑いをした。

「もう一度回してみてください」

桜は、海人に言われたとおり、キーを回してみるが、車は反応しなかった。

「おそらくバッテリーですね」

「バッテリーって、どうしたらいいんですかね」

桜は気が動転している。海人は優しく微笑んだ。

「大丈夫ですよ。やりましょうか？」

桜は一瞬だけ店のほうを見たが、仕事中の店長に迷惑をかけるよりも、目の前の白いスーツの人に頼むほうが少しだけ気が楽な気がした。

「悪い人じゃなさそうだし」というのが桜の海人に対する第一印象だった。

「いいんですか？」

桜は恐る恐る聞いた。

「僕たちは横浜から来ました。車は、あれです。見てのとおりレンタカーです」

桜は、車のナンバーの「わ」を確認した。

「ここに来る途中、ここから少しだけ戻ったところに車の販売店がありました。僕の同僚があの車で、そこまで行ってブースターケーブルを借りてきます。そのあと、あの車のバッテリーとつないでエンジンをかけましょう。どうですか？」

海人の手順の説明を聞いて桜は安心したのか、「それで、お願いします」と答えた。

二人の会話は、英雄にずっと聞こえていた。海人は振り返って英雄に目で合図を送った。英雄は軽くうなずくと
「じゃあ、すぐに行ってきます」

と言って自分たちが乗っていた車に戻った。先ほどまで乗っていたのでまだ暖かい。生き返る心地がした。

「このあと、どんな話をするのかがいちばん聞きたいところなんだけどなぁ」

と英雄は独り言を言いながら、車を動かした。

「ちょっと待っててくださいね」

海人はそう言うと、立ったままで車が走り去った方向を眺めていた。横殴りの雪が海人に当たっては弾かれ、また風に流されている。

この風と雪の中スーツで外に立っていて、寒くないはずはない。エンジンがかかっていない車の中でさえ凍えるように寒いのだから、ましてや風をまともに受ける外となると、桜の想像を超える寒さだろう。

「あのう……寒くないですか？」

桜の言葉に海人は黙って笑顔を返しただけだったので、桜は遠慮がちに続けた。

「中で待ちますか？」

桜のその言葉に、海人は満面の笑みを浮かべて、飛び跳ねるように車の助手席側へと移動して、すぐさま車の中へ乗り込んだ。

「いやぁ、助かりました。本当は死ぬほど寒かったんですよ」

そう言って震えて見せた。その様子に、桜は、「店の中で」と言い直すことができなかった。

「大丈夫です。すぐ戻ってきますよ。おそらく十分もかからないと思いますよ」

桜の不安をかき消すように海人が言った。桜はしかたなく、少しだけ開けたままにしておいた、運転席側の扉を閉めた。

「僕らは今仕事中なんですが、僕の同僚が帰ってくる十分間だけ、僕の仕事についての話を聞いてくれませんか」

「えっ？　ええ……いいですけど」

桜が警戒しているのが海人にもわかるが、構わず続けた。

「ありがとうございます。僕はこういう者です」

海人は丁寧に頭を下げて、名刺を差し出した。

「株式会社タイムカプセル社……キッカワさん」

「よく間違えられますが、ヨシカワです」

海人は苦笑いをした。

「ごめんなさい。ヨシカワさん」

桜は律儀に言い直した。

「どんなお仕事なんですか、タイムカプセル社って」

話が途切れることを恐れるように、桜は言葉を続ける。話し方はまだ距離をとった感じのままだ。

「うちの会社では、お客さまが未来の自分に宛てて書いた手紙をお預かりして、五年後や十年後、指定された期間が経過したあとでお届けするんです。僕とさっきの同僚はその配達の仕事をしています」

海人は、桜の表情を見ながら、できる限り柔らかい表情で話した。

「郵便局を使うんじゃないんですか?」

「基本は、郵便局を使うんですが、手紙を書いていただいてから、時間が経っていますから、手紙に書かれた住所に、ご本人がいない場合が出てきてしまいます。そういった場合、転居先がわかればそこに送り直しますが、それでも届かない人がいた場合に、僕たちが直接配達しに行くわけです」

「そうなんですね」

桜は、相手に失礼にならないようにと社交辞令的な合いの手を入れたものの、海人は黙ったまま、ニコニコと桜の顔を見つめるばかりだ。桜の心がだんだん、ざわつき始めた。

海人はそれを見透かしたように、

「そうなんです。で、今日はその仕事で、あなたに会いに来ました」

と言って、スーツの内ポケットから、手紙を取り出した。

桜は運転席でちょっとのけぞり、怪訝《けげん》そうな目を海人と差し出された手紙の両方に交互に向けた。

「今から十年前、中学の卒業記念に、十年後の自分に宛てて手紙を書いたのを覚えていませんか？」

桜は頭の中を必死で整理しようとしていた。今目の前で起こっている状況が少し怖くなり、呼吸が速くなった。

「覚えていませんけど、たしかにそれは私の字ですから、きっと書いたんでしょう。でも、どうして、ここがわかったんですか？」

桜の声は少し怒気を含んでいた。

「どうしてかは僕にはわかりませんが、我が社の調査部が調べました。お客さまがどこにいてもちゃんとお届けするというのが、我が社のモットーですから」

「つまり、調べようと思ったら、簡単にわかるってことですね」

桜は今度は力なくそう言った。

「いえ、実際のところ、決して簡単に……ではないんですが」

桜は海人の言葉を遮るように、海人の手から手紙を奪い取って封を開け始めた。

「席を外しましょうか？」

海人が慌てて言った。

「別に、必要ありません」

桜が感情なく言った。桜は封筒の中から便箋を取り出して、躊躇なく開いた。

書いている内容までは読めなかったが、とても丁寧な字で書いてあることだけは海人にもわかった。海人は顔を反対側に向けて、窓の外を横に流れる雪を見ながら、英雄の帰りを待った。

十年後のわたしへ
元気ですか？

あんなに楽しかった南中を、もう卒業してしまいます。

わたしは、この学校がとても好きで、みんながとても好きで、この中学校での毎日が宝物のような思い出ばかりで、本当に卒業するのが嫌なんだ。十年経っているとはいえ、わたしなんだから、わたしのこの気持ちはきっとわかるでしょ。

でも、もしかしたら十年後のわたしは、この毎日のことをいっぱい忘れているかも。十年経っても、ここでの毎日が、わたしにとっての宝物だといいのにって思いながら、この手紙を書いています。

わたしは悩んだ結果、大阪の私立高校に進学することに決めました。

どうしてそうなったか、わたしなんだからわかると思います。それがいい決断だったのか、それとも悪い決断だったのかは、これを読んでいるわたしにはもうわかっているんだよね。何だか変な感じがしますが、「それでよかったんだよ」って言ってもらえるような十年にしようと思っています。


わたしには、誰にも言ったことがない夢があります。

これも、わたしだからわかるでしょう。国際線のキャビンアテンダントになることです。

そのために、ほかの人が遊んでいるときにも勉強をしてきたし、人一倍英語の勉強もしてきたつもりです。

みんなに「森川、まじめか〜」とよくバカにされたけど、何と言われても、わたしはCAになるんだって、自分に言い聞かせて頑張ってきました。

ただ、誰にも言えなかった。友だちはもちろん、親にも。

クラスの中では芹沢くんだけが、将来の夢をみんなの前で宣言しています。「俺はスターになる」って。言うたび、みんなに笑われています。わたしも一緒に笑います。

「お前にやか、なれるかぁ」

「お前がスターになれるんやったら、ワシも大スターになれるわ」

って声がいつも飛び交いますが、芹沢くんは「せいぜい笑ってろ」と言って、笑っています。わたしも、いっしょになって笑いながらそのやりとりを見ているけど、本当はそんな芹沢くんを尊敬しています。「すごいなぁ」って思う。

わたしにはそんな勇気がない。最初、わたしは「お前になんて無理だ」って言われたらどうしようってことを怖がっているんだと思っていました。でも、どうやら「なれなかったときに、かっこ悪い」という気持ちのほうが強いことに最近ようやく気づいたんです。

でも、そんな弱い自分に負けたくない。

だからこの手紙に書いて、自分にだけは宣言しておきます。

わたしは、将来、国際線のCAになる。そのために、これからも頑張る。

十年後のわたしが、「なれたよ」と言いながら、これを笑顔で読んでいることを期待しています。

それでは十年後に会いましょう。

森川桜から森川桜へ

桜は深いため息をついて手紙を閉じた。

「何か、こういうのって……」

続ける言葉を見つけられないまま、桜はそのまま便箋を封筒の中にしまった。それから静かに海人に尋ねた。

「届けて、喜ぶ人はいるんですか？」

「半々です」

海人は、穏やかに微笑みながら答えた。

「でも、大半の方は、届けたときは喜べなくとも、のちのち、あの手紙をあのタイミングで届けてくれてよかったと言ってくださいます」

桜は苦笑いした。

「この手紙をきっかけに、人生をもう一度やり直せってことね」

「どうでしょうか……人によって手紙の内容が違いますので、解釈は違うと思います」

「でも、そういうことでしょ。きっとこの手紙をきっかけに昔の夢とか情熱とかを思い出して、自分は今のままじゃダメだって気を入れ直して人生をやり直す。そうすれば、いつか幸せになれる日がやってきて、そうなったときに、あのとき、あの手紙を受け取っていなければ、今の私の幸せはないんだって思える。そんな日が未来にやってくるからこそ、届けてくれてよかったって思えるんでしょ」

「もちろん、そういう方もいるとは思いますが」

海人の言葉が終わるか終わらないかのうちに、桜がきっぱりと言った。

「私には……できないと思います」

海人は無言で前を向いた。桜も運転席で前を向いている。フロントガラスが白く曇り、その向こうでは相変わらず海からの横殴りの風が雪を運んでいる。いつの間にかラーメン屋の前の通りは車の渋滞ができていた。

しばらくして、桜の鼻をすする音が聞こえてきた。

「私、こう見えて中学三年生の頃、生徒会長でした。優等生で勉強もよくできたんですよ」

「そう見えますよ」

海人は静かに答えた。

「国際線のビジネスクラスやファーストクラスを担当するキャビンアテンダントになるの

が夢で、必死で英語の勉強もして……。だけど、見てのとおり、二十五歳になった今、結婚してラーメン屋のアルバイト」

桜の頬を涙が伝った。

「あの頃は、自分に自信があって、私は何でもできるって思ってた。あの頃の自分には申し訳ないけど、もう二度とそんな気分になれないと思う。今は……世の中で、自分のことがいちばん信用できないし、私には幸せになる資格がないんです」

「幸せになる資格がない人なんて、この世にはいませんよ」

海人は優しい口調ながら断固として言った。

「ひょっとしてあなたは、自分のせいで不幸にしてしまった人がいると思い込んでいるのではありませんか？　その罪悪感から、そんなふうに思い込んでいるんでしょう」

桜は、何も事情を知らないはずの海人に、心を見透かされた気がして、驚き、思わず、口を開けたままで、固まってしまった。

「で…でも、現に私のせいで……」

「何があったか知りませんが、あなたのせいではないとは言いません。でも、あなただけのせいではありません。世の中の人は誰もがみんなそうやって誰かに迷惑をかけて、誰かにつらい思いをさせて、その苦しみを抱えながらも、前に進もうとして生きているんですよ。だから、優しくなれる」

「私は優しくなんてないです」

「いいえ、優しくなったはずです。森川さんが自分のことを信じられなくなったのは、昔は、自分は誰にも迷惑もかけないで生きていけるって思い込んでいたからじゃないですか。ウソもつかない、人の嫌がることはしない。そうやって生きていく自信があった。正義感が強くて、人に迷惑をかけたり、ウソをついたり、人の嫌がることをしている人を許せなかった。

でも、実際、自分のほうが、人に迷惑をかけて、ウソをついて、人の嫌がることをして生きていると感じた。いや、知ってしまった。だから自分に自信が持てなくなった。自分が、許せないと思っていた人たちと、自分が結局同じだったということに気づいて、今は、世の中でいちばん信用できないのが自分だって思うようになったのではありませんか」

桜は、驚いて海人を見た。大きく見開かれた目には怒りが混じっている。

「調べたんですか⁉　私のこと」

海人は首を振った。

「多少は……でも、あなたが、考えていることがわかった理由はひとつしかありません」

「……」

桜は答えずに、海人を見つめる。

「みんな同じだからですよ」

「みんな……同じ？」

「そう。みんな同じです。自分のことが信用できなくなってしまう人は、最初、周りに迷惑をかけたり、人を苦しめたりする人のことが嫌いで、許せなくて、信用できない。それなのに、いつか、その人たち以上に自分が人を苦しめ、傷つけ、迷惑をかけて生きていることに気づいて苦しくなる。でも、そんな思いに苦しんでいるのは自分だけだと思ってると、変な占い師にコロッと騙されますよ」

海人は冗談ぽく言った。

「でも、僕は苦しむ必要がないことだって思います。それって、森川さんが昔以上に、たくさんの人の気持ちに寄り添える人になったという証じゃないですか。それって優しくなったってことじゃないですか？」

桜は、ますます目を見開いて海人を見る。

「あなた、私のことをどこまで知っているんですか？」

「ここで働いているということと、結婚をされていてお名前が本田桜さんになったということ。あと……」

海人はひと呼吸置いた。

「駆け落ちをしたということ」

桜はうつむいたまま、自らをあざ笑うかのような笑みを浮かべた。

「今時珍しいでしょ。駆け落ちなんて。今の旦那とは高校の同級生なんです。実は高校卒業直前からつき合い始めました。彼は大学の医学部に通って、私は別の大学の英文科に通うことになったんです。そのうち彼の将来の夢が酪農に変わりました。私がサークルで乗馬クラブに入ったのがきっかけで、彼も馬に乗るようになり、そこから動物たちがいる暮らしに引き込まれていったんです。

彼の両親はとても怒りました。実家の病院を彼が継いでくれるものだとばかり思っていたのに、つき合ってる女のせいで、勉強もろくにしないで別の将来の夢を語るようになった……すべてはあの女のせいだと言って、交際を許してくれなかった。

許さないって言われて、ああそうですか、じゃあ別れますなんてできますか？　私たちは、お互いの両親には内緒でつき合い続けることにしました。そのために、私たちはたくさん〈ウソ〉をつかなければなりませんでした。最初は小さな〈ウソ〉です。好きな人と一緒にいるために親だけにつく〈ウソ〉。ほとんど心は痛みませんでした。大学の飲み会があるからとか、ゼミの研究で徹夜になるとか。

でも、ひとつついた〈ウソ〉を成立させるために、次はもう少し大きな〈ウソ〉をつく必要が生まれる。そうやって、私たちはいつの間にか、毎日をウソで塗り固めていってしまった。気づいたら、平気でウソが言えるようになってて。

それは少なくとも、私と彼の中では、大きなストレスになっていました。中学、高校と優等生として生活してきたのは私だけじゃなく、彼も同じです。そんな私たちが、いつの間にか、平気でウソをつく人間になったんです。それに気づいて、二人ともとても深く傷つきました。


吉川さんが言われるとおりです。私は平気でウソをつく人が嫌いでした。そういう人を軽蔑していたし、口を開けば責めていました。もちろん、自分が平気でウソをつくような人になるとは思っていませんでした。でも、自分はウソつきでした。その事実を知ってどんどん自分に自信が持てなくなっていったんです。

そのストレスはやがて、二人の間で大きな溝となって、お互いの愛情の問題ではなく、お互いが抱えた罪悪感に耐えられなくなる形で、結局私たちは別れてしまいました。その後、彼は彼の両親が紹介した別の女性とつき合い始めました。

その頃にはすでに私は、国際線のキャビンアテンダントになるという夢を捨ててしまっていました。彼と一緒になることを将来の夢の第一に据えていたからです。彼が始める酪農を私も手伝って、ずっと一緒にいようと思っていたからです。

彼と別れたとき、大学の卒業が間近だった私は、内定をもらっていた企業を辞退して、もう一度、専門学校に入り直してキャビンアテンダントになるための勉強を始めることにしました。そうでもしなければ、彼のことを忘れることなんてできないと思ったんです。

でも、そうやって、人生をやり直そうと再出発してから半年以上経ったある日、家に帰ると、彼が私の家の前にいました。『一緒になってほしい』って言われました。『親もふるさとも捨てて、君と酪農をやりたい』って。『ついてきてくれるかい?』って。私は、もうどうなってもいいと思いました。この人と一緒なら、すべてを捨ててついて行く。この人と一緒なら、どんなことも乗り越えていけるって。だから『うん』って返事をして……」

桜は当時を懐かしむような遠い目をして、フロントガラスの向こうの曇り空を仰いだ。

「その一週間後、私たちは大阪を出ました」

桜は自分を軽蔑するように笑った。

「ドラマのラストシーンみたいでしょ。私も、そんな気がして、その雰囲気に酔っていたんだと思います。でもドラマと違って、そこでハッピーエンドってわけにはいかないんです。あのときがエンドではなく、スタートでした。そこからが現実との戦いです。

自分がドラマの主人公になったような劇的な恋愛をしていることに対する興奮でドキドキしていたのは、大阪を出て北海道に着くまででした。そのうち、彼が私の前に再び現れるまでのこと、彼の家であった出来事などが、少しずつわかっていきました。

彼女がいたことは言いましたよね。結婚を前提におつき合いをして、式場も日取りも決まっていて、招待状まで送っていたこと……予定していた結婚式の三日前が、彼が私に会いに来た日だったことなど……知れば知るほど、その女性の幸せを私が踏みにじったんじゃないかと思えてきて」

桜は言葉に詰まった。

「その日から、苦しみが始まりました。なんか、ちょっとでもいいことがあって喜ぼうとする自分に、ストップをかける自分がいるんです。会ったこともない、彼と結婚を約束していたその女性が今でも苦しんでいる姿が浮かんできて、私は幸せになっちゃいけないんじゃないかって……そんな気持ちになるんです。私がそうなんだから、彼はもっと苦しんでいると思うんです。

自分なんかが幸せになっちゃいけないんじゃないかって私以上に思っているのは、彼のほうです。一緒に住み始めてから、彼は悲しい表情で笑うようになりました。周りにいる人も一緒に明るくしてしまう太陽のような笑い方をしていた彼は、今はもういません。それも、私と一緒にいるからで……私が彼をそう変えてしまったんじゃないかって……」

「森川さんは……」

海人は、桜の話を遮《さえぎ》るように大きな声で言った。

「ここがどこか、今日が何月何日か知っていますか？」

「……え？」

桜は突然話題を変えられて、一瞬思考がついていけなくなった。

「も、もちろんわかっていますが」

海人は微笑んだ。

「ですよね。でも考えているのは、今ではなく、ここではない世界の話ばかりです」

「そうかも。私の時間は止まったままなのかもね」

桜は苦笑いを浮かべた。

「月並みな言葉ですが、そろそろ今に生きてみませんか。いや、むずかしいのはわかっています。でも、今、ここに集中することができれば、少しずつ過去も未来も変わっていきますから」

桜は鼻で笑った。

「未来は変わっても、過去は変わらないでしょ」

「過去なんてどこにあるんですか？　どこにも存在しない。森川さんの記憶の中だけに存在しています。でもその記憶も日々、薄れる部分があったり、強調される部分があったりして、勝手に『本当に起こったこと』から変化し続けていきます」

「それでも、私の気持ちが私を許さないというのは変わらないと思うわ」

「わかります。無理に過去の自分を許せとはいいません。でも、今ではなく、ここではないことに心を奪われてるなって感じた瞬間に深呼吸をして『今、ここに集中しよう』って思い直してみてください。『幸せになろう』って考えるわけじゃないから、そうすること自体に罪悪感はないでしょ。でもそれができれば、過去と今の自分を、未来と今の自分を分けることができる。そうすれば必ず未来が変わる。そのとき、過去も変わることに気づくでしょうから」

「今、ここに集中すると、未来が変わって、過去が変わる？」

海人はうなずいた。

「そうです。過去と未来を切り離して、今、ここに集中するだけです」

「今、ここに集中するだけ……」

「そうですよ。あなたが過去にどういうことをしたかよりも、今、目の前の人を大切にすることのほうがもっと大事です。きっと誰も言ってくれないからわからなくなってるんですよ。あなたは幸せになっていいんですよ」

桜の目に涙が浮かんできた。

誰でもいい、「あなたは幸せになってもいいんだよ」って言ってくれる人を待ち続けていたのかもしれない。目の前の青年はきっと自分よりも年下だろう。それでも、「あなたは幸せになっていいんです」と背中を押してくれる海人の言葉には、今の桜にとって生きる支えになるほどの力があった。

「過去の自分の行いは、今日の優しさ、謙虚さの源にすればいい。それがあるから、あなたは人の痛みのわかる優しい人になれたという経験にすればいい。だからといって、幸せになる資格がないっていうのはおかしい」

桜は涙をぬぐって小さくうなずいた。

「もちろん、そう考えるには時間はかかるかもしれません。でも、苦しくなったら、怖くなったら『今、ここ』って思って過去と未来を切り離してみてくださいよ。きっと……いつか、すべて乗り越えて、これでよかったんだ、私の人生はこれで間違いじゃなかったんだ、って思える日がやってきます。絶対です。

それに、相手の女性だって、今回の経験に対する反省が必ずあります。実はそうなったのはあなたのせいじゃない、その人の人生ですからその人の責任です。それを私の責任だって森川さんが思っていることのほうが、傲慢というか、思い上がりかもしれませんよ。苦い経験から、学び、反省し、立ち直り、より自分を磨き、経験を積んだ人として、それまで以上に素敵な人になるのはその人も同じです。いつか、その経験に感謝することだってあり得ますよ。あの経験があったから、今の幸せがあるって言える、そんな素敵な新たな出会いが未来にはきっとある。すでに起こっているかもしれません」

桜は、あふれる涙を止めることができず無言でうなずいた。

「いつかきっと、なんの心配もない、爽やかな春の青空の陽気の中で駆け出したいほどの幸せを感じる朝が、きっとやってきます。だから、そんな日がやってきたら、僕に教えてくれませんか?」

桜はようやく袖口で涙をぬぐった。

「そんな日が来るとしたら……いいなぁ」

「来ます。まず、『駆け落ち』したって思うのをやめたらどうですか。なんか『落ち』ってイメージが暗いでしょ。『駆け登った』って言うとか。ほら実際に北に上がってきたわけですし……」

桜は泣きながらも、吹き出して笑ってしまった。

「吉川さん、手紙を届けるお仕事のはずなのに、どうしてそこまで親身になってお話しになるんですか？」

海人はちょっとだけ悲しそうな顔をして、もう一度微笑んだ。

「すいません、ちょっと出過ぎた真似をしました。森川さんが、僕の姉に少し似てるんで……つい」

「お姉さん？」

「それにしても、僕の同僚、ちょっと遅いですね」

海人は、話題を変えた。桜も思い出したように声をあげた。

「ほんとだ。何してるんでしょう」

「何してるんでしょう」

海人も繰り返した。時計を見ると英雄が出て行ったときから三十分が過ぎている。実は、話をしながらも、帰ってこない英雄のことが気になっていた。

「あっ」

桜がラーメン屋の駐車場入り口のほうを見て声をあげた。

「来ましたね」

海人も安堵の声をあげた。

＊＊＊

二台の車を向かい合わせてブースターケーブルをつなぎ、同時に両方のエンジンをかける。

「ずいぶん、時間がかかりましたね。ここに来る手前にあった車屋には五分もあれば着くんじゃないかと思ったんですが。それにケーブルだけを借りてくるのかと思っていましたが……」

目の前で作業をしているのは、車屋のスタッフで、桜の車とつないでいるのはそのスタッフが乗ってきた車だった。

「そうしようと思ったんですが、ちょっと先の信号待ちでエンストしまして」

「ええ？」

「はい、まさかのバッテリーでした」

「それでですか?」

「何がですか?」

「千歳方面の車線が渋滞していましたよ」

海人は声をあげて笑った。

「笑い事じゃないですよ。レンタカーがバッテリー上がるって……」

「それで、どうしたんですか?」

「しかたがないので、そこから車を降りて歩いて行きました」

「この吹雪の中をですか?」

海人は驚いて見せた。

「冗談じゃなく、死ぬかと思いました。しかもこんな格好で。車屋まで行って事情を説明して、車のところまで別の車でやってきて、レッカーして車屋まで運んで、そこで、ブースターケーブルをつないでバッテリーを充電して、バッテリーの弱いその車で森川さんの車につないだらどっちも動かなくなるかもしれないと思ったので、また事情を説明して、ここまで来てもらって……もう、たいへんでした」

「レンタカー屋には?」

「連絡しました。今こっちに別の車を持って向かっているそうです」

ブルブル震えながら説明する英雄を見て、海人が言った。

「新井さん、ラーメン食べていきますか」

「はい、ぜひ。それから、そのあとでいいんですが、ちょっと寄りたいところがあるんですが、いいですか？」

「今日はもう移動をせず、千歳に泊まることにしますのでいいですよ。どうしたんですか？」

「さっきユニクロがあったので、ヒートテックを買っておこうと思いまして」

芹沢将志

@NY・Manhattan

「それにしても、いつの間にチケットを取ったんですか」

「一昨日です。千歳のホテル滞在中に取っておきました。エスタが間に合うかどうか不安でしたが、なんとか間に合いました」

「エスタ……ですか？」

「あれ？　新井さん、以前は仕事でアメリカにも行っていましたよね」

「ええ、ですが手配はすべて人任せでしたので」

海人はうなずいた。

「なるほど、これからは必要なときに自分で取ってください。これがないとアメリカには行けませんから」

海人は書類と搭乗券を受け取った。

「36A」

英雄は座席番号を読み上げた。

英雄と海人は保安検査場の前にやってきた。

「それにしても、まさかアメリカとは……」

「送り主がどこにいても行くのが仕事です。今回なんてまだいいほうですよ。ニューヨークのマンハッタンなので、直行便で行けばいいだけです。もっとスゴいところだってありますからね。何度も飛行機を乗り継がなければいけないところとか……」

英雄は小刻みに震える真似をした。

「恐しくなるので、聞くのをやめておきます。それより、私の座席がA席になっていますが、室長が窓側じゃなくていいんですか？」

「僕は通路側が好きなんで」

そう言って海人はチケットを英雄に見せた。

「36C」

「Bじゃないんですか」

海人は微笑んだ。

「まだ空席がチラホラあったので、AとCで取ったんです。こうしておけば、もし誰かがBを取ったとしても、Aと替えてくださいって言えば喜んで替わってくれますし、AとBで取っていたら、通路側のCが埋まる確率は高いでしょうけど、間のBが埋まるのは、ほかのすべてのAとCが全部埋まったあとでしょうから」

「なるほど」

英雄は感心した。

「まあ、一昨日の段階で空いていたので、埋まるとしたら昨日今日でチケットを取る人ってことですよね。よほど旅慣れた人じゃないと来ないでしょう。新井さん、英語話せましたっけ？」

「はい……多少は」

「よかった。じゃあ、もしBに誰かが座るようなら、新井さんが言ってAと替わってもらってください」

「わかりました。それくらいならお安いご用です」

英雄は笑顔を向けた。

二人は保安検査場を通過した。

「それにしても、たった一通の手紙を配達するために、本当にアメリカまで行くんですね。会社として儲けはあるんですか？」

「いつまでも、どこまでも二人で移動していたら儲けはありません。今は仕事を覚えてもらうために二人で移動していますが、基本的にはこれを、ひとりでやることになります」

英雄は思わず息を吞んだ。

「ずっとひとりって、結構たいへんですね」

海人は微笑んだ。

「じき、慣れます」

「ひとりで回り始める前に、聞いておきたいんですが、そのブリーフケースに入っている資料は、私は見ることはできないんですか?」

「個人情報の扱いには、細心の注意が必要で、基本的には一枚の資料をひとりが見るよう徹底されています。もし新井さんも見ていい資料なら、本部が新井さん用にもう一枚同じものを用意するはずです。だから……」

「見てはいけないわけですね」

海人はうなずいた。

「でも、もちろん、ひとりで回るようになったら、新井さんが資料を見ながら回ることになります。そのときには、ほかの誰かに見せないようにお願いします」

「わ、わかりました。じゃあ、これからニューヨークに行って、誰に会うかも教えてもらえないんですか?」

「そういう情報はもちろん共有します。芹沢将志《せりざわまさし》という男性です。年齢は二十五歳……って、これまで回ってきた、森川桜、嶋明日香の同級生だから、それは当然か……」

「ん?」

英雄は眉間にしわを寄せて、遠い目をする。

「どこかで聞いたことがある名前ですね」

「芹沢将志。数年前に有名になった俳優です」

海人は顔色も変えずに言った。

「ああ！」

英雄は大声を出した。

「映画『ハルカとヨウスケ』のヨウスケ役の！」

「よく知ってますね。あの映画よりもその前の映画のほうが有名ですが」

英雄は子どものように目を輝かせた。

「あの映画には個人的に特別な思い入れがあるんです。実は昨日も一日だけ家に帰れましたので、あの映画を観ていました」

英雄は興奮しきっていた。海人は一瞬表情を変えて、何かを言いかけたが、すぐに先ほどの無表情に戻った。

「そうですか。奇遇ですね。僕もあの映画には個人的に特別な思い入れがあるんです」

そう言うと、海人は立ち上がった。

「搭乗しましょう」

「は、はい」

英雄は、自分にとって特別な思い入れがある映画に出演していた人間に、これから会いに行くという奇跡的偶然に舞い上がった。踊るような足どりで、海人の後ろを搭乗ゲートに向かった。

36列にはまだ誰も座っていなかった。もちろん36Bに人はいない。チケットどおり英雄が窓側に座り、海人は席をひとつ挟んで通路側の席に座った。

しばらくして乗客の入りが落ち着いてきたが、英雄と海人の間に座る乗客はいなかった。英雄が見回してみると、たしかに窓側の席と通路側の席に空きはなさそうだが、その間の席はほとんど空いている。

「これは、誰も来ないな」

と心の中で思った瞬間、通路を前から歩いてくるひとりの青年と目が合った。

その青年は手元の自分のチケットと、海人と英雄の間にある座席を交互に目で確認した。間に入りたそうな雰囲気を感じ取って海人が立ち上がった。その青年は笑顔を海人に向けた。見たところ日本人に見えたので、英雄は日本語で話しかけた。

「すいません。よろしければ私の席と替わりませんか？」

しかし青年は、英雄のことを無視してそのまま、英雄の隣の席に座ってしまった。英雄は、聞こえなかったのかと思い、もう少し大きめの声で言ってみた。

「すいません。Excuse me?」

念のため英語でも話しかけたのだが、反応がない。そのくせ、その青年は、自分を通すために立ち上がってくれた海人には、にこやかな笑顔を向けながら何度も小さな会釈をしている。

青年が肘置きに手を置こうとしたとき、すでにそこにあった英雄の手に触れた。彼は慌てて振り返り、身振りで「ごめんなさい」ということを伝えてきた。英雄は笑顔でそれを受け、もう一度話しかけた。

「よろしければ、席を替わりませんか？」

その青年は、人差し指で耳を指し示してから、顔の前で小さく左右に手を振った。

「耳が、聞こえないってこと……ですか」

英雄はそこでようやく、彼が耳が聞こえないということを悟った。

「ああ、ええと。私と、席を替わりませんか。ごらんのように、向こう側の人と私は同じ服を着ているでしょ。同じ会社の者です。ですから、私と場所を替わって窓側に座りませんか？」

ゆっくりと話しながら、はたしてそれで伝わるのかわからない即席の手話のようなジェスチャーを繰り返した。青年は割とすぐに英雄の言おうとしていることを理解して、嬉しそうに席を立ち、無事に二人の席の移動は完了した。

「Doors for departure」

その直後に、機内放送が乗客の搭乗が完了したことを告げた。

＊＊＊

芹沢将志は、タクシーの車窓に流れる7thアヴェニューの景色を見るともなく眺めていた。ドライバーは、南アジアのどこかの国から出稼ぎに来ている人らしく、英語の発音がひどい。将志は会話をするのも億劫になった。まあ、自分の発音もいいわけではないが。

やがて車は、アパートの前で止まった。

将志はアパートの入り口の鍵を開けると、入ってすぐの階段を上り、自分の部屋の前に立った。入り口とは別の、部屋の鍵がジーンズのポケットからなかなか出てこない。鍵をまさぐっている間にも、廊下の向かいの母親が子どもを叱る大声が部屋の外まで漏れてくる。ようやく鍵を見つけ出し、部屋の中に入ったが、母親の怒鳴り声は部屋の中まで聞こえてきた。

電気をつけると、鍵をキッチンのカウンターの上に投げるように置き、通りに面した窓に近寄った。カーテンが開けっ放しだ。外から中の様子が丸見えだろう。

眼下のクリストファー通りでは、向かいの店の男が入り口に立って通りを行き交う人をぼうっと眺めているのが見えた。彼はいつもそこにいて、一日中店の前を行き来する通行人を眺めている。

将志は目が合わないように、視線をそらしてカーテンを閉めた。そのあと、もう一度キッチンに戻り、冷蔵庫からビールを取り出してソファに沈み込んだ。


マンハッタンでの生活はもう半年になるが、一向に自分がニューヨーカーになった気はしない。最初の三ヶ月はホテル暮らしだったが、ここ三ヶ月は、知り合った友人の部屋を借りている。彼はギリシャ出身の写真家でアントニオという。今は仕事のためにヨーロッパを回っているそうだ。その間でよければ部屋を使ってもいいと言ってくれた。

ところが予定よりも早くそのアントニオが来週には戻ってくる。将志は選択を迫られていた。

この部屋を出て、もう一度ホテル暮らしに戻る資金はもうない。なんとか別の住まいを探すか、アルバイトを見つけて働き始めるか、ニューヨークを出て、ハリウッドや別の土地に移るか……それとも日本に帰るか。

もちろん、オーディションに受かれば、別の選択肢が生まれる。

ところが、受け続けてきたオーディションには、結局ひとつも合格することがないまま半年が過ぎてしまった。明日がきっと今の状態で受けられる最後のオーディションになる。明日がダメなら、いよいよニューヨークを離れなければならない、というわけだ。

将志はビールを缶のままあおり、白いマントルピースの上の写真を眺めた。数年前、映画に出演して最優秀新人賞を受賞したときの授賞式での写真だ。

「もう一度、あの場所へ。今度はアメリカで上りつめる」

写真を見ながら、将志は自分を鼓舞する。しかし、それ以上に強く、そこに上っていく生き方を続けることに対する疑問が、自分の中に湧いてくるのを感じる。

将志は大きなため息をついて、缶が空になるまで、一気にビールを喉に流し込んだ。

壁伝いに、隣のビルの一階のバーが響かせる大音量のベース音が、二階の将志の部屋まで響いてくる。一晩中続くその騒がしさだけにはようやく慣れてきた。

＊＊＊

海人と英雄は、空港に降り立つと、早速タクシーに乗り込んだ。

「それ、どうしたんですか？」

海人が英雄の手元を見ていった。

「ああ、これは、さっき隣に座っていた青年にもらったんですよ」

赤いステッカーで「No Book, No Life!」というロゴが書いてある。

「彼は旅行好きで、耳は聞こえないんですが、時間とお金さえあれば世界中旅して回るんだそうです。荷物も機内に持ち込んだあの小さい荷物だけって言っていました」

「ほお」

海人が感心したように声をあげた。

「話をしなくても、そういうことがわかるんですね」

「本当ですね、不思議なものです。言葉がなくても、いろんな情報をお互いにやりとりしているんですね。このステッカーは僕が窓際の席を譲ってくれたことに対するお礼だそうです……というよりは、そう言っていると感じました」

「なるほど。さて、芹沢将志さんにすぐに会えればいいですが……」

海人は引き締まった顔になった。

「いやぁ、でも本当に不思議な感じです。あの芹沢将志に会えるんですよね。しかもここ、アメリカで」

「……」

海人は特に返事をしなかった。

「実は、私と妻が別居する前、最後に一緒に観に行った映画が『ハルカとヨウスケ』でした」

英雄は窓の外を眺めながら話し始めた。

「あの映画は四、五年前の公開でしたが、原作は実は十年ほど前のものなんです。私たちは、原作のファンでした。あの作品はもともと単なる恋愛小説ではないんです。あの本がきっかけで起業したと言ってもいいほど、私は大きな影響を受けました。妻も大好きな作品で、あの本を読んでいたからこそ、起業に賛成してくれたんだと思います。

その後、会社が傾きかけた頃に、あの作品が映画化されることになりました。私は会社のことで心に余裕がない時期でしたから知らなかったんですが、妻がそのことを知って私を映画に誘ったんです。普段なら断っていたと思いますが、誘われた映画が私たち二人にとって大切な作品だったこともあって結局観に行くことにしたんです。

映画は素晴らしいものでした。原作ファンは得てして映像化された作品を酷評しがちですが、あの映画の場合は逆でした。映画を観ているうちに、演じている俳優さんの演技に引き込まれていって、いつのまにか、日頃抱えていた仕事上の問題なんかも忘れて、作品の世界に入っていってしまったんです。それ以来、出ていた俳優さんを応援するようになりました。

当時、芹沢将志さんは、その前の作品で最優秀新人賞を受賞したばかりで、とても注目されていました。ところが、あの映画『ハルカとヨウスケ』は評論家の間で評判がよくなかったんですよ。僕たちはそんなことないと思っていたんですがね。最近テレビなどでも見なくなったし、話も聞かなくなったので、どうしたのかと思っていたんですが、ニューヨークで暮らしていたんですね。こうやって有名人に手紙を届けるってこともよくあることなんですか？」

英雄は年甲斐もなく興奮しているのか、独り言のようにしゃべり続けている。

「僕も初めてです。そうあることではありません」

海人はいつも以上に冷静に言った。その様子に、英雄は自分が浮かれすぎていることに気づき、自嘲気味に話すスピードを緩めた。

「そうですか。じゃあ、やっぱりものすごい偶然ですね」

「そうですね」

海人は相変わらず窓の外を見たままだった。

「あまりミーハーな感じにならないようにしてくださいね。僕たちはファンとして芹沢将志に会いに来ているわけではなく、仕事として芹沢将志さんにお手紙を届けに来ているということを忘れないでください」

「はい。それは、もちろんです」

英雄は表情を硬くして、海人に向き直った。

「さあ、あのトンネルを抜けたらマンハッタンです」

フロントガラスの向こう側に、夕日と、それを受けて輝く高層ビル群が見えた。

＊＊＊

英雄は煉瓦造りのビルのアパートの前に立った。

「ここの二階ですね。呼び鈴を押してみますか」

「そうですね、押してみましょう。きっと出ないでしょうけど、中に人の気配があるかどうかがわかりますから」

そう言うと、海人は一方通行の狭い道路を挟んだ反対側の歩道のところまで下がり、カーテンが閉まっている二階の様子を見上げた。

英雄は海人のその動きを待って、何度か呼び鈴を押した。

やはり、反応はなかった。海人もしばらく様子を見ていたが、英雄の元に戻ってきた。

「留守のようですね」

「どうしましょうか」

「待つしかありませんね」

「ちょうどそこが、バーになっていますよ」

英雄は、芹沢将志が住んでいるアパートの斜め向かいの店を指さした。海人は時計を見た。十八時前だ。

「きっとタクシーで帰ってきて、入り口に横付けするでしょうから、ここで待つしかないんでしょうが……」

海人はもう一度、通りに丁寧に目を配った。

「しょうがないですね。そこの店で待つしかなさそうです」

あきらめたように店に向かおうとしたその瞬間、アパートの前に黄色いタクシーが停まった。

はたして、中から降りてきたのは、芹沢将志だった。

「新井さん。芹沢さんです」

海人はそう言うが早いか、踵を返して道を渡った。店の入り口に入ろうとしていた英雄が、慌てて海人のあとを追う。


将志はタクシーの精算を済ませると、車を降りた。目の前に真っ白いスーツを着た若者が立っている。見たところ日本人のようだ。

「芹沢さん」

将志は名前を呼ばれて、あからさまに不快な顔をした。ここ、ニューヨークにいても、日本からの観光客がたまに自分に気づいてソワソワし出すことがある。声をかけられることは滅多にないが、明らかに、自分のことを話しているのがわかる。

「あれ、芹沢将志じゃない」と言っているに決まっている。

常に誰かに見られているという不自由さから逃れるために日本を離れたのだが、相変わらずアメリカでもう一度、スターになることを夢見てやり直そうとしているという自己矛盾の中にいた。高校を卒業してから劇団に所属し、プロダクションから声がかかり、あれよあれよという間にテレビの主役、映画の主役とスターダムにのし上がった将志は、それ以外の仕事で身を立てる術を知らないのだ。

熱狂的なファンはどうやってでも住んでいる場所を見つけ出す。日本にいるときも何度か家まで押しかけられた。そのたびに引っ越しをしなければならず、その不自由さたるや、島育ちの将志にとっては耐えがたいストレスだった。が、まさかニューヨークにまで来るとは……。

「放っておいてくれないか」

将志は冷たくあしらうように言い放ち、海人を無視して玄関の鍵を開けようとした。

「僕たちは、あなたにお会いするために、日本からここに来ました」

「だからそれが迷惑なんだって」

語気荒く言い放った将志の目に、同じ格好をした英雄の姿が目に入った。鍵を勢いよく開けると、急いで中に入ろうとした。

「僕を覚えていませんか?」

落ち着き払った海人の口調に、自分のファンのそれとは違うものを感じた将志は、入り口の扉を開ける手を一瞬止めて、海人を見つめた。

「四年前、あなたはたった一人で、僕の姉の味方になってくれました」

海人の言葉に、将志の表情が変わった。

「ああ……」

思わず将志は言葉を失った。

「君は、たしか……彼女の弟の……」

「吉川海人です」

英雄はあっけにとられて、二人のやりとりを見ていた。

「どうしてここに……」

「仕事です」

そう言いながら、海人は名刺を差し出した。

「株式会社タイムカプセル社?」

将志がそれを読み上げる様子に、英雄は映画のワンシーンを見ているような気持ちだった。

「芹沢さんが十年前に、自分自身に向けて書いた手紙を届けるためにここに来ました。僕が、あなたに会いに来たのは全くの偶然です」

そう言いながら、海人は手紙を差し出す。将志はそれを受け取りながら、周りを見回した。

「ここで立ち話も何だから、中へ……」

将志の提案に、海人はうなずいた。英雄はあまりの展開に驚きながらも、あとに続いた。

ドアを入るとすぐに住人用の共同のゴミ箱が並び、その奥が階段になっている。人がすれ違えるほどの幅もない。将志が、階段を数段上がったところから、英雄に声をかけた。

「後ろの人は……」

「新井と申します」

「新井さん、鍵を閉めてください」

「はい、わかりました」

英雄は緊張したまま答えた。

三人は、人がひとり通れるほどの幅しかない階段を上った。踊り場でくの字に曲がった階段を右に折れると、上がりきったところの右手にある最初の扉の前で立ち止まった。向かい側の扉からは子どもの泣き声と、母親の叱責が聞こえてきた。

「いつもなんだよ」

将志が苦笑いしながら、玄関の扉を開けた。

中は、ホテル暮らしをしているように殺風景で、もともとあった家具以外は、日用品がキッチンカウンターの上に転がっている程度だ。まるで生活感がない。

「これはなんなの?」

将志は先ほど受け取った手紙を手に、リビングの奥にあるソファにどっかりと座り込んだ。

海人と英雄は部屋に入ってすぐのキッチンカウンターの横に立ったまま、説明した。

「今から十年前、あなたは中学を卒業する記念に、十年後の自分に向けて手紙を書きました。私たちはそれをお預かりして、お届けする会社の者です」

「じゃあ、これは俺が書いた手紙ってこと?」

「はい」

海人はうなずいた。

「それを届ける仕事をしていたら、偶然、俺のものを届けることになったと……」

「はい、自分でも信じられません。何かの縁を感じます」

「そんな偶然、あっても誰も信じないよな……」

将志はそうつぶやきながら、封を開けた。今の自分の筆跡とは全く違うが、かつて自分がこういう字を書いていたことを思い出すことができた。紛れもなく、それは自分が書いた手紙だった。将志は苦笑いをしてそれを読み始めた。

Hallo　十年後の俺

今から十年たった俺がこれを読むとき、

「芹沢将志」という名前は日本でみんな知ってる有名人になってるかい。

俺はビッグになりたい。

超有名人になって

テレビとか映画とかに出て

金持ちになる。

それが、俺の夢だ。

超有名になって

超金持ちになって
親にも恩返しをして
誰もが認める成功者になるんだ。

俺はそうなるって決めた。
だから、みんなにそれを話してる。

どう?
十年後の俺。
もうなれた?
それとも、まだその途中?
とにかく、俺は頑張るから。

十年後の俺が、今の俺に感謝するくらい
頑張るから。

楽しみにしていてくれ。

じゃあ、十年後に……

ビッグな男　芹沢将志

将志は鼻で笑いながら、手紙を海人に突き返した。

「つける薬がないバカだ、こいつ」

将志の仕草から、「読んでみろ」と言っていることが伝わってくる。海人は、手紙を受け取り、無言でそれを読んだ。

「しょっぱなのHelloの綴りを間違えてる時点で、終わってるよ」

将志は自嘲気味に笑ったが、海人はそれを読み終えても表情ひとつ変えずに、無言で手紙を将志に差し出した。将志は乱暴に受け取ると、そのままソファの前の丸テーブルの上に投げ出した。

「今でもさ……」

将志は独り言のように話し始めた。

「そんなこと考えている奴、ごまんといるんだろうな。有名になってテレビとか映画に出て、キャーキャー言われて、お金が儲かれば幸せだって……それを目指して頑張ってる。

そんな奴が」

「あなたは、そのすべてを手に入れました」

海人が静かに言った。

「ああ。自分でも驚くほどあっという間に手に入れた。知ってるかい。ものすごいことは、本当に一瞬で起こるんだ。そして、一度起こってしまうと、誰も自分の意思では止められない。雪崩のようなものさ。自分でも怖くなるくらい一気に有名になって、テレビや映画に引っ張りだこさ。そして、元にはもう戻れない。対価として、もちろん金は手に入る。でも、そこがゴールじゃなかった」

海人のほうが悲しそうな目をして、その話を聞いていた。

「芹沢さんは、まじめすぎたんだと思います」

「俺が？」

将志は苦笑いをした。

「あなたに向かって投げられるボールすべてをキャッチする必要はないのに、それをしようとしていました」

将志は表情をなくし、無言で前を見つめた。

しばらく沈黙が流れたが、海人がその沈黙を破った。

「僕の姉も同じでした」

将志はうなずくと、立ち上がり、窓のそばに行った。カーテンを開けると、下の通りではたくさんの若者がバーの前に集まって騒いでいる。

「俺は、夢をかなえるのに必死だった。かなえたら幸せになれるって信じてた。子どもの頃から、夢をあきらめるな、あきらめなければかなうって、そういう言葉だけを信じて生きてきた。でも、夢がかなったあとの人生については誰も教えてくれなかったんだな。俺も、かなえることに必死になるあまり、かなったあとの人生のことなんて考えてもいなかった。

ある舞台がきっかけで映画出演の話をもらい、初めて出た映画の役が強烈な個性を持った役で主役以上に話題になって、テレビドラマや映画に抜擢されて、あっという間に映画の主役の話がきた。俺は、成り上がったと思った。俺は成功者として、勝ち組になったんだって。

でも、一大ブームを巻き起こした例の映画のあと、主演をした映画がコケた。すると、誰もが手のひらを返したように、俺のことを責め始めた。どこを見ても何を読んでも、『芹沢将志の短い黄金時代は終わった』と書かれた。その次に来た仕事は、主演ではなかった。世の中の流行の波は、とらえるのが難しくて、一度その波を逃した者に再びチャンスが訪れるのは稀だ。俺は完全に過去の人への道をゆくことになった。二十歳にして夢をかなえて、二十一にして人生のどん底を経験することになったんだ。

それからは、どんなに努力をしても、どんなに芝居を磨いても、いいことを書いてくれる人はいなくなったよ。周りを見ると、同じような思いをしている奴がたくさんいた。よく見ると、俺の周りには、手にした成功を失う怖さと常に戦っている奴らが溢れていた。それがみんな、人もうらやむ有名人たちだ。

俺は、成功って、幸せって何か……わからなくなっていった。有名になって、お金がたくさん入ってくれば成功で幸せって、単純な話じゃなかったのかよって、迷うようになった。そのときだった……」

「もう、その話はやめましょう」

海人が優しい笑顔を向けた。

将志は振り返って海人のほうを見た。

「君は、もう立ち直ったのか。納得したのか」

将志は急に大きな声を出した。海人は、何かを呑み込むような間を取ったあと、ゆっくりと笑顔をつくった。

『誰も恨むな、人を嫌いになるな』というのが父の最後の言葉でした。立ち直るとか、納得するとかいうのは難しいかもしれませんが、人が幸せになるってどういうことかをずっと考えて生きています。そして……」

いつしか海人の目には涙が溢れていた。

「僕は、今日一日だけを生きることにしました」

「今日一日だけ……」

海人はうなずいた。

「最近わかったんです。有名になった人だろうが、無名の人だろうが、人生で何が起きるかなんてわからない。一度動き始めたものは、もう元に戻すことはできない。そして、良くも悪くも一瞬にして人生は転機を迎えると。一寸先は闇だし、一寸先に光がある。その連続だと。そんななかで幸せに生きるためには、今日だけを、精一杯生きるしかないような気がしてきました」

英雄は、海人と将志の会話に全くついていくことができず、ドアの近くでただ突っ立ったまま耳を傾けていた。何より驚いたのが、この二人が知り合いだったことだ。

「四年ぶり？　室長の姉？」

疑問は募るばかりだが、今の英雄にできることは、ただ二人の会話を聞くことだけだ。

「朝起きると息をしている。生きている。生きているってことは、きっと僕にはまだ役割があるはずだって自分に言い聞かせています。それが何かはわからないけど、命を燃やしながら、世の中に新しいものを創ることができる一日があるってことです。だから、不安を忘れ、恐怖を忘れ、過去と未来を忘れて、今日一日を生き切る。それしか自分を笑顔にする方法がありませんでした」

将志も、海人の言葉に動けなくなっていた。

「芹沢さん。あなたも今日、生きています。芹沢さんの人生には、まだ芹沢さんがなすべき役割があるということです」

「俺にも、まだ、役割がある……か」

「先ほど、ここに来るとき、7thアヴェニュー沿いの地下鉄のクリストファーストリートの駅のところで、タクシーを降りました。南を見ると一際背の高い建物がそびえ立っています」

「ああ、グラウンド・ゼロに建てられた、ワンワールド・トレード・センターだよ」

「ええ、あのてっぺんから紙を一枚落としたときに、どこに落ちてくるか予想することができるでしょうか」

「そんなの、無理に決まってる」

「そう、不可能です。それと同じくらい、人間の行動によって起こることを予想するのは不可能なんです。みんな落ちてきた場所を見て、はじめからここに落ちるのはわかっていたのに、なんでそんなことするんだろうって言うんです。でも、落とす前には、どこに落ちるかなんてわからない。落としてみないとわからないんです」

「あのとき、君のお父さんは、俺に同じようなことを言った」

将志が遠い目をして言った。

「父が？」

「ああ。ビリヤードの台に球がたくさん乗っている。白玉を君が打つとき、目標の球に当てることはできるかもしれない。でも、そのあと、手玉や最初に当たった球が、どの球に当たり、影響を与え合うかを予想することはできない。ポケットに落ちる球は予想もしなかった球かもしれない。だからといって手玉を打つことを恐れてはいけない。どうなるかわからないが、打つと決めて打つ。それが人生だ……君は、落ちてしまった球を見て、自分の行動を後悔する必要はない。それは予想なんてできないんだ。そんな話だった」

海人の目から涙がこぼれた。

「芹沢さん。日本に帰ってきたらどうですか？　生きているからには役割がある。その役割を、今日一日を生き切ることで果たしませんか。過去の名声とか、人の目とか、誰に何を言われるかなんて、気にする必要ないじゃないですか。命の続くかぎり、一日を精一杯生き切ることが、人生のいちばんの幸せじゃないかって、僕は思います」

芹沢将志は海人の目を見つめていたが、やがて力を抜いたように笑顔を浮かべた。

「君は強いな」

海人は首を振った。

「自分が弱いとわかったから、誰も恨まず、人を嫌いにならずに済みました」

「弱いとわかったからか……。どういうことだ」

「この仕事をしていると、お手紙を書いた方が亡くなってしまっているときがあります。あるとき、手紙を書いた方が亡くなっていたので、ひとり暮らしをしているその方のお父様にお手紙を届けたことがありました。お父様は、その方が亡くなってからひとりで寂しい思いをされていたらしく、息子さんの思い出話を、熱心に僕に語って聞かせてくれました。でも、僕はその話にほとんど集中できませんでした。どうしてだかわかりますか？」

「早く終わってほしかったとか？」

海人は首を振った。

「その方の鼻から毛がはみ出ていたんです。結構な束で……」

将志は吹き出した。

「それは……気になるよな」

「ええ、気になってしまいました。そんなものは見てはいけない、気にしてはいけないって思い込んではみても、気になっているんですね。見ないようにしようと思って目線を上げると、耳からも出てました。僕は不謹慎だと思いながらも、笑いを堪《こら》えるのに必死になって、その方の話が耳に入ってこなくなったんです。もちろん、ご本人には言えないですよ。でも、そのとき自分も弱い奴だってわかったんです」

将志はしばらく無言で考えていた。その先の話を自分なりに予想しているようだった。しばしの沈黙のあと、何か腑に落ちたのか、将志は笑顔を浮かべて大きく二度うなずいた。

「なるほど、俺もそうかもしれん。俺も、俺が嫌いな奴らと同じということか……」

将志は力が抜けたように、ソファに身を沈めた。

将志がひとりで納得している様子を、英雄はただ見ているしかなかった。英雄にとって、将志と海人の会話は、まだ映画の中のワンシーンのように見えた。

「よく、そんなふうに考えられるようになったな」

「ある人と出会ったおかげです」

「そうか。今度俺にも会わせてくれるか」

「もちろんです」

海人と将志はお互いに微笑み合った。


二人の過去に何があったのか、英雄にはわからない。だから、二人の会話がどうつながっているのかもわからなかったが、今日のこの出会いが、海人と将志の二人にとって大きな意味を持つものだった、ということだけはわかった。

「それにしても、配達屋って言えばいいの？　すごい仕事だな。ずっと待ってたの？」

将志はキッチンのほうに入っていき、棚からコーヒーを取り出した。

「いえ。僕たちがここに着いてすぐに、芹沢さんが帰ってきてくださったので助かりました」

「じゃあ、帰ってこなければ、どうしたの？」

「帰ってこられるまで、待つつもりでした」

「本気で言ってるのか？」

将志は、海人と英雄を交互に見て、やがて笑みをうかべた。

「じゃあ、今日のオーディションで、早々と、もう帰っていいって言われたことにも意味があったってことかな」

「おかげで救われました。ありがとうございます」

海人は笑いながら頭を下げた。

海人の笑顔を見て、将志もあきれたように笑った。

＊＊＊

それから、海人と英雄はニューヨークに四泊した。

出国する際に、往復の航空チケットを予約する必要がある。芹沢将志がアパートに帰らない日があるといけないので、現地で四泊するよう麗子から指示されていたらしい。結局、着いたその日に会えたので、翌日から丸三日間、ニューヨーク観光ができた。とはいえ、海人はひとりで毎日出かけていったので、英雄はホテルを拠点に有名な観光名所を転々と回っては帰ってくるだけだった。英雄にとって初めてのニューヨークは、どこに行くにも一人だった。

十二月のニューヨークは寒さもさることながら人の多さもあきれるほどで、街全体がクリスマスツリーの装飾になったようだ。その雰囲気に魅せられるように、街中が、カップルや子ども連れの家族であふれている。幸せそうに会話をしながら行き交う彼らの姿を見るたびに、家族がいなくなった自分の現状に切なさがこみ上げた。

しかし、そのこと以上に英雄は、海人のことが気になっていた。

吉川海人。

考えるほどに不思議な若者だ。

人間は自分で乗り越えた壁の分だけ強くなる。

英雄はそう思っている。自分で会社を経営してみて、そのことを痛感した。底知れぬ大きさを持つ人は、底知れぬ孤独、悲しみ、苦難を経験してきている人だ。底知れぬ優しさ、許容力を持つ人は、誰よりも傷つき悩んだ人だ。

群れの中にいて、その群れの名前という威を借りて、ものを言う奴らには絶対たどり着けない境地というものがある。吉川海人の持つ優しさには、そういう境地に至った人間だけが持つ空気感がある。しかも、あの年齢にして。

英雄はこれまでの人生で、どちらのタイプの人間も見てきた。自分は、同年代の人間と比べても、乗り越えてきた壁の数、経験してきた孤独や苦難という意味では、引けをとらないという自負を持ってきた。ところが、海人と出会ったとき、彼の大きさはまさに海のようだと感じた。

人間の器が違うと言ってしまえばそれまでだが、底知れぬ優しさと行動力、思いやりに裏打ちされた明るさがあった。二回りほど年下の海人に対して、英雄は、精神的な強さの面でも人間的深さの面でも器の大きさという面でも、到底敵わないと肌で感じた。

その理由を深く考えることなどなかったが、改めて考えてみれば、やはり持って生まれたものだとは考えにくい。彼が自分よりも二十年以上短い人生の中で、自分以上に多くの試練に直面し、それを乗り越えてきたと考えるのが自然だろう。その試練が、どうやら家族に関係しているらしいということが、芹沢将志とのやりとりを聞いていて何となくわかってきた。

若くしてあれほど大きな器の人間になるために彼が経験してきた試練とは、どんなものだったのか……?

気づけば、英雄はそのことばかり考えていた。


ニューヨーク滞在の最終日、英雄はニューヨーク近代美術館で過ごすことにした。とりたててやることも思いつかなかったニューヨーク滞在のなかで、唯一思い出したことは、アンリ・ルソーの『夢』とモネの『睡蓮』のひとつがニューヨーク近代美術館にあるということだったからだ。以前読んだ本の影響で、一度は見てみたいと思っていた作品である。

訪れてみると、それら以外にも見るべき作品が多く、思った以上に時間をかけて館内を回ることになり、外に出たときには辺りはもう暗くなっていた。夕食を済ませてからホテルに戻ろうと、目的地もなく、人の流れに合わせるように歩いていると、三ブロックほど南へ下ったところに、人だかりができていた。英雄が、ふらふらと吸い寄せられるように近づいてみると、通りの向かい側に、大きなクリスマスツリーがあった。点灯の様子が毎年日本のメディアでもニュースとして取り上げられるほど有名な、ロックフェラー・センターのクリスマスツリーだ。

もちろん、英雄もテレビでは見たことがあった。まさにその場所に自分も立ち、巨大なクリスマスツリーを見上げている。

「新井さん」

声に振り返ると、海人がいた。

「新井さんも、クリスマスツリーを見に来たんですか？」

海人はいつものような笑顔で英雄に話しかけた。

「いえ、食事をしようと思ってさまよっていたら、偶然ここに来てしまったんです」

「そうなんですか。ちょうどよかった。僕もこれから食事だったんです。一緒にどうですか。ホテルのフロントでお薦めのレストランを聞いておいたんですよ」

英雄は笑顔で答えた。

「はい。ぜひ」

二人はタクシーをつかまえて乗り込んだ。

＊＊＊

グラスをテーブルに置くと、英雄が言った。

「室長、私服も持ってきていたんですか?」

海人はケタケタ笑った。

「買ったんですよ。仕事でもないのに、そんな格好してひとりで歩くの、恥ずかしいじゃないですか」

そんな格好とは、まさに今、英雄がしている格好だった。

言われるまでもなく、そのとおりだと英雄は思う。たしかに、私服を買って帰りに日本に送れば荷物にもならない。この数日、ほかに着るものがないからしかたないとは何度も思ったが、買えばいいやとは思わなかった自分がおかしかった。

「どうでしたか？　ニューヨークは」

英雄は苦笑いをした。

「何の下調べもせず、ひとりでしたから、何をしていいかわからず暇をもて余してしまいました。なんか、もったいないですね」

海人は笑顔で答えた。

「予習をしないで行く観光地なんてそんなもんですよ。でも、この仕事はいつどこに行けるかわかりませんから、日頃から、あそこに行ったら、あれをしてみようとか、あそこを訪れてみようってアンテナを立てておくことって大事ですよ」

「そうですね。これからそうします。でも、来られてよかったです。芹沢将志さんとも会えましたし」

海人は少しだけ微笑んだ。

「そうでしたね」

英雄は少しためらったのち、この三日間、聞いてみたかったことを海人にぶつけた。

「室長は、芹沢さんと知り合いだったんですね」

海人がうなずく。

「お姉さんと、お父さんのお話が出ていましたが……」

海人はビールを飲むと、大きくひとつ息を吐いた。

「僕も、仕事で、しかもニューヨークで芹沢さんに再会することになるとは思ってもみませんでした。人生というのは、こういう奇跡のような偶然を至るところに用意して待っているんですよね。その場に、新井さんがいたというのも、何かの縁かもしれません」

海人はそう前置きをしてから、グラスを置いた。

「僕には姉がいました。名前を吉川空《よしかわそら》といいます。以前、芹沢将志さんと一緒に共演したことがあります」

英雄は息をのんだ。

「吉川空って、あの、『ハルカとヨウスケ』のハルカ役だった⁉」

驚きのあまり、口を開けたまま表情が固まってしまった。

「ええ」

言われてみれば、どことなく海人と似ていたような気もする。

「姉は、オーディションであの役を獲得しました。あの作品が最初の映画出演で、しかもヒロインに抜擢されました」

「演技も新人とは思えないほど素晴らしかったです」

「ありがとうございます。でも、映画の興行は事前の大々的宣伝とは裏腹にからっきしでした。俗に言う大失敗です。前の作品で各賞を総なめにして大絶賛を受けていた芹沢さんも、ひどく叩かれました。『キャリアを台無しにする失敗作』とあらゆるところで……とはいってもネットの中ばかりですが……叩かれたんです」

「そうだったんですか……私は知りませんでした」

「その矛先はすべて、相手役だった姉に向かいました。心ない誹謗や中傷がネット上で吹き荒れました。内容は演技を非難したものから見た目や存在の否定に至るまで、日を追ってエスカレートしていきました。芹沢さんのファンの方から、芹沢さんの評価を落とした責任を取れと非難もされました。脅迫、嫌がらせ……彼女が人生で一度も経験したことがないようなストレスが、ほんの短い期間に一斉に姉の元を襲ったのです」

英雄はそのときの吉川空の苦悩を想像しようとした。どれほどの耐えがたいものだったろうか。

「僕は当時、受験生で自分のことで精一杯でしたし、姉はひとり暮らしをしていましたから、姉がどんな状態だったかということに気づいてあげられませんでした。

姉はそれまで、自分に向かって投げられるどんなボールもキャッチしなければならないと思って生きていました。いいことも悪いことも言われるけど、それは自分が撒いた種だから、ちゃんと受け取るんだって思って生きていたんです。だから、ネットの言葉にも律儀に耳を傾けて、誹謗中傷まで受け止めようとしたんです。そして……苦しみ抜いて、自分は世の中にいてはいけない人だと思い込むようになり……その思いから抜け出すことができなくなりました。

当然、芸能活動などできる精神状態になく、活動休止を宣言したんですが、そういったことすらネットでニュースになり、『演技で注目されなかったから、そういうことで話題に残ろうと必死だな。気持ち悪い人種だ』などという書き込みすらありました。何をやっても、姉への非難の声は減らず、精神的に追い詰められていき、やがて社会復帰すら厳しい状況になりました。そして、あの映画のことや姉のことなど誰も話題にしなくなった頃、自ら命を……」

「……そんな……ことが……あったなんて……」

英雄は息をのんだ。

「芹沢さんは、共演者としてそういった一つ一つの姉に対する誹謗中傷に反論してくれていました。結局、姉が自ら命を絶ったあとも、無責任な書き込みをしている奴は、自分が人殺しをしているという意識がないのかという書き込みをして大炎上しました。結果、心ない書き込みは姉ではなく、対象を芹沢さんに変えて続けられたんです。とうとう、芹沢さんは多くのファンを失いました。マスコミや週刊誌も、姉の自殺は芹沢さんの主演映画がコケたからだとかき立てました。その一件以来、芹沢さんはめっきりドラマや映画で見なくなりました。芹沢さんも、姉が亡くなったのは自分の作品がコケたからだという責任を感じて心を痛めているんだと思います」

「そんな」

英雄は寂しそうに言った。

「芹沢さんも、ああ見えて責任感の塊のような人なんですよ」

「お会いして、伝わってきました」

「その頃から普段おとなしい父が、政治家になるって言い出したんです」

「お父様がですか？　どうして……」

「やはり、姉を死なせてしまった今の社会を変えたかったんじゃないでしょうか。いや、もしかしたら何もしてやれなかった自分を変えたかったのかもしれません。ところが、政治家になるための勉強を始めた矢先に、交通事故で亡くなりました」

「そんな……」

「朝早くから仕事をして、帰ってきたら姉の看病と、寝る間もなく過ごしてきた数ヶ月がたたったのか、姉の死後もほとんど寝る間もなく、仕事をして、帰ってきてからも何かに取り憑かれたように、政治の勉強となにやら執筆もしていたみたいでしたし。実際、いつ寝ているのかわかりませんでした。そういうことにも、あとから気づくんですよね。

父の遺品を整理しているとき、パソコンの中に、その執筆や演説の原稿が多数見つかりました。父はかつて娘に向けられた誹謗中傷に対して、SNSでコメントしたことがありました。『彼女は、優しい心を持った、人とぶつかることが嫌いな娘です。そっとしておいてやってほしい』と。おわかりかと思いますが、残念ながら火に油を注ぐ結果になりました。『そっとしておいてほしい奴が、映画に出るな!』と言われました。

そんな経験があったからでしょう、演説原稿の中には、『平和を愛する心を持ち、自分は人を攻撃しないと決めた人は他人からも攻撃されない、という信念では、娘の命を守ってやることはできませんでした』という一文がありました。

父のパソコンのフォルダには、父が執筆していたものが日付順に並んでいました。最後に作成していた書類を開くと、これから書こうとしていた内容が、箇条書きでまとめられているものでした。その最後に書いている言葉が『それでも、誰も恨むな、人を嫌いになるな』でした」

「それじゃあ、実際には」

海人は首を横に振った。

「僕が駆けつけたときに、父はもう亡くなっていました。だから、父の最後の言葉というのは、直接聞いた言葉ではなくて、最後に書き残した言葉という意味です。

『誰も恨むな、人を嫌いになるな』。

涙が溢れてきました。姉も父も世間に殺されたと思いました。僕は、ひとりぼっちになったんです。だから、世間を恨み、人間が嫌いになりそうでした。だから、父が最後に残した言葉は、ほかの誰でもなく、僕に対して言っている言葉だったのです。

怒りや苦しみ、悔しさ、やるせなさをすべて呑み込み、誰も恨まず、人を嫌いにならないことだけが、父と姉に対する供養だと思い込もうとしました」


「それらを乗り越えたからこそ、室長は今のような大きな人間になれたってことですか」

海人は微笑んだ。

「そう簡単に乗り越えられるものではありませんでした。姉が亡くなったのは、僕のせいだったからです」

「室長の……？」

「姉をオーディションに参加させたのは僕でした。彼女は僕がそこまで言うならって、一度だけという約束で受けに行ってくれたんです。それさえなければ、姉は……」

英雄の目に、海人が初めて二十代の若者らしく映った。

「そんな僕を励ますように、父は努めて明るく振る舞ってくれました。でも、姉が亡くなってすぐに、その父も亡くなりました。僕は立ち直る術をなくし、何も考えられなくなっていました。受験も進学もあきらめました。普通の大学生活を夢見ていた高校生が、ある日突然、たった一人で生きていかなければならない状態になったんです。どうしていいかわからず途方に暮れました。高校を卒業することすら意味がないんじゃないかと思って、学校にも行かなくなりました。心配した担任の先生が、卒業式には必ず出ろよと僕を誘ってくれました。そんなことすらどうでもいいと思っていたんですが、クラスの友人たちが心配して何度も手紙を持ってきてくれていたのを知っていましたから、卒業式だけは顔を出そうと思って、学校に行ったんです。そしたら……」

「そしたら？」

海人が話を切ったので英雄は促したが、英雄の背後には料理を持ったウェイターが立っていた。英雄は前のめりになっていた身体を起こした。ウェイターは注文した料理を慣れた手つきで並べて、「Have a good time.」と言って去っていった。

海人はナイフとフォークを手に取りながら話を続けた。

「社長と出会いました」

「社長って、うちの会社の?」

海人はうなずいた。

「卒業記念に、学校で十年後の自分に手紙を書くというのを申し込んだみたいで、その具体的説明のために卒業式の前に、社長が説明がてら教室を回っていたんです。でも、僕は、十年後の自分に手紙を書く気にはどうしてもなれませんでした。そしたら、社長が僕のところにやってきて、『ねえ、うちで働かない?』ってひとこと言ったんです」

「社長は先生から室長のことを何か聞いていたんですか?」

「僕も最初はそう思いました。でも、先生は僕のことについて何も話してないって言ってましたから、社長がどうしていきなりそんなことを言ったのかはわかりません。ほかに誘った人もいなさそうでしたし。

社長は僕の返事を待たずに、名刺を一枚差し出して、『いつでも来なよ』と言ってくれました。そのときの僕はひとりぼっちになっていましたし、親戚に預かってもらわなければならないような年齢でもありませんでした。それまでの人生が一瞬でなくなり、一人で生きていかなければならないことになって、どうしていいかわからなかった僕に、残された道は、その名刺に書かれている住所しかありませんでした」

「それで、この仕事を始めたんですか……」

海人はゆっくりとうなずいた。

「最初は新井さんと同じように、訳もわからないまま白いスーツを着せられて、社長と一緒に配達に回らされました。そのときに、三日前に話したことが起こりました」

「三日前に話したこと……?」

芹沢将志に会ったのは三日前だったのに、英雄には昨日のことのように思われる。一方で、最初に会った嶋明日香などは、ほんの一週間ほど前の出来事なのに、何年も昔のことのように感じられた。

「ええ、特配の仕事として訪れた家での出来事でした」

「ああ、あの鼻毛の……」

「ええ、そうです。実際には社長が話を聞いていて、僕は後ろで立ってそれを見ているだけだったんですが、久しぶりの話し相手を得て饒舌に話すその方の話が、一向に耳に入ってきませんでした。それで、やっと仕事が終わって、その場を辞して車に乗り込んだとき、社長に聞かれたんです。『どうだった?』って。僕は、当時高校を卒業したばかりで、ひねくれていたところもありましたから、『いい話だったんですけど、鼻毛が束で出ているのが気になって気になって、話が耳に入ってきませんでした』って面白おかしく言ったんです。正直な気持ちでしたし」

海人は昔を思い出すように、微笑みながらグラスの中をのぞき込んだ。

「怒られると思っていました。仕事をなめるなとか、もっと相手の気持ちになれとか……。でも、社長は全く別のことを僕に言いました」

「何て言ったんですか？」

海人は再び微笑んだ。

「『いい経験したじゃないか、よかったな』です」

「いい経験したじゃないか、よかったな……」

英雄は同じ言葉を繰り返した。英雄の表情を見て海人は笑った。

「僕も、同じですよ。よく意味がわかりませんでした。そしたら、社長が聞くんです。『俺は気づいてたと思う？』って。僕は言いました。『気づいてたと思います。あんなに近くだったし、こういう言い方は変ですけど、すごい束で出ていましたので……』って」

「社長はなんて？」

「答えてくれませんでした。ただ笑って運転をしているだけでした。それからしばらく二人とも無言で車に揺られていましたが、僕が気になってもう一回聞いたんです。『気づいておられたんですか？』って。そしたら社長は、違う話をしてくれました」

「人間は、瞬間的にいろんなことを考える動物だからね。誰かと話をしていても、全然違うことを考えてしまったりするもんさ。それを止めることは誰にもできない。どうしても考えてしまうからね。それは本能。つまり、ひとつのことに集中できずに、ついいろんなことを考えてしまうというのは、脳が健全に働いている証拠なんだ。それ自体は、何も悪いことじゃないよね。

でも、それを口に出して言うかどうかは自分で選ぶことができる。海人は、口に出しただろ。きっと言いたくてしかたなかったんだと思う。でも、今の会話を録画していて、さっきの人が見るんだとしたらどう？」

「それは……」

海人は言葉をなくした。

「きっと言わないよね。さっきの発言は、本人に聞かせるべきじゃない言葉だってことはわかるんだ。だけど、本人の耳に入らないのなら、どこかで言ってみたくなるようなエピソードだよね。こんなことがあったんだ、こんなことを考えていたんだって。第三者が聞いたら面白いからね。でも、その第三者が、もしくは僕が、海人がこんなこと言ってましたよって、さっきの人に言わない保証はどこにあるの？」

「……」

海人は車の助手席でうつむいた。

「そういうことを、みんなネットでつぶやいているのさ」

海人は息を呑んだ。

「誰も、本人に直接言おうなんて思っていない。同じ傍観者同士で感情を共有したいだけなんだ。誰かに自分の脳内で考えたことを打ち明けたら笑ってもらえるだろうって思ってる。もしくは、自分は見る目があるって思われたいのかもしれないし、ほかの人とは一味違う視点の持ち主だと思われたいのかもしれない。いずれにしてもただの自己表現でしかない。だから、誰も悪いことをしてるなんて思っていない。むしろ、頭に浮かんじゃったんだからしょうがないでしょって思ってる。でも、それが本人の耳に入ることだってある……君にはそういう経験がないか。周りの人が自分のことをどう思っているのかを何かの拍子に知ってしまったような、そんな経験」

海人は黙っていた。

「僕はあるよ。小学生の頃にね。夏休みの朝、僕らの時代は子どもたちはみんなラジオ体操をしていたんだ。ある朝、近所の友人たちが僕を呼びに来てくれた。毎朝僕の家の前を通って公園に行くことになっていたからね。いつもはインターホン越しに、返事をしてから外に出るんだけど、その日は返事をせずにそのまま外に出たんだ。そしたら、三人いた友人たちはもう歩き始めていて、公園に向かっていた。僕は早歩きをして彼らに追いついたんだ。そしてそのまま三人の友人の後ろを歩いていた。そのとき、その中の一人が『あいつ置いていっていいの？』って言ったの。

僕ははじめ、誰の話をしてるんだろうってわからなかった。そしたら、別の一人が、『いいよ、だってあいつがいたら、ラジオ体操のあと遊ぶのつまんないじゃん』って言ったんだ。僕は、誰の話をしているのか聞きたくなってね、『誰のこと？』って後ろから聞いたんだ。そのときの三人の反応を見てはじめて、『ああ、自分のことを言ってたんだ』ってわかったんだ。

まさか、僕が後ろを歩いているとは思っていなかったんだね。僕も、僕がいることに彼らが気づいていないとは思っていなかったんだ。だから、置いて行かれたのが自分だとは思っていなかった。自分はそこにいたからね。おかげで、はじめて、人が自分のことをどう思っているかの本当の声が聞けたんだよ。いやぁ、ショックだったなぁ。少しだけね。

でも、僕が後ろにいるってわかっていたら、彼らは決して言わなかった言葉だよね。ネット上には、そういう言葉があふれているね」

「僕は……」

「いいか、海人。よく覚えておけ。人間はみな、本人がその場にいなければその言葉が本人に届くかどうかをあまり考えもせず、つい、頭の中でふと思ったことをそのままに垂れ流してしまう、そういう弱さを持っているんだよ。君だけじゃない。僕だって持ってる。僕のことを嫌っていた三人組の話だって、もし僕がその場にいなくても、三人の中の誰かが、いつか、『あいつが、お前のこと、こう言ってたよ』って教えてくれただろう。そのことを事前に考えておけば、言わなかったかもしれない言葉だよね。でも、そこまで考えないんだ。

ネットの書き込みだって同じだろうよ、きっと。だから、会ったこともない人に、『あなた、気持ち悪いんですけど』なんて平気で書ける。ネットにそんな書き込みをする人でも、初めて会う他人に面と向かって『笑顔が下品』とか言った経験はないはずだよ。

だから、他人がどうこうじゃない。自分がそういうのを口にしない強さを持たなきゃいけないって、ただそれだけのことだ。な、いいこと学んだだろ。こういう僕も未だに修業中だけどさ」

＊＊＊

海人はビールを飲み干すと、ウェイトレスを呼び、同じものを注文した。

「今の女の子も同じです。テーブルに来てくれると目に入ります。そうすると、いろんなことが頭に浮かびます。どうですか？　新井さん」

英雄は言葉に詰まった。

「ええ……たしかに」

「容貌やスタイル、化粧の具合や匂いに至るまで、いろんな情報が一瞬で脳に浮かびます。好みのタイプか、苦手なタイプか。口説きたいほど好きか、近寄ってほしくないほど嫌いか。全部、無意識のうちに浮かべています。だからといって浮かんだことを彼女に対してすべて伝えるわけではありません。『君みたいなタイプの子、嫌いなんだよね』『顔がタイプじゃない』なんて、初対面で言う人はいません。言う必要がないことです。でも……」

「別のところでは話すかもしれませんね。『こんな奴と会ったんだ』みたいな話を」

「そうです。そして、ネットやブログでも……。僕は姉や父を死に追いやった特定できないたくさんの人を激しく憎んでいました。でも、彼らがやったことは、僕が普通にいつもしていることとでした」

海人は力なく笑った。

「ただ、社長の前で言ったか、ネット上に書いたかの違いでしかない。僕の脳に浮かんだ、本人に伝える必要のない情報を、ひけらかしたんです。そのとき、僕は僕の弱さを知りました。父さんが言った『誰も恨むな、人間を嫌いになるな』という意味がようやくわかったんです。

結局、『誰も』や『人間』の中には、僕自身、つまり自分が入っていたわけです」

「自分を恨むな、自分を嫌いになるな……ということですか」

「ええ、そういうことだと気づきました。そして、涙が出ました。ポロポロ、涙がこぼれて止まりませんでした。そんな僕に、社長は、もう一度優しく微笑みながら言ってくれました。『いい経験したじゃないか。よかったな』って」

英雄は、海人が乗り越えてきた苦しみや壁の大きさを改めて知る思いだった。

若くして、あまりにも超然としている吉川海人という青年は、やはり、それだけ大きな苦しみを乗り越えてきていたのだ。

「この仕事はいいです。僕は、この仕事で出会った一人ひとりの人生を見つめることで、人間っていいなぁって、もう一度思えるようになりました。自分が弱い人間だってこともわかりました。そして、みんな僕と同じかもしれないって思えるようになりました」

「自分と同じ……?」

「ええ。被害者面して、実は気づかないうちに加害者になっているってことです。だから、たとえば僕の姉について、ひどいことを書いていた人たちも、一人ひとりと話してみると、きっと僕と変わらないような気がします。これまで出会った一人ひとりと全く同じ、愛すべき人間だということです。そのことも、この仕事がそう感じさせてくれました。

自分だって、ダメなところがあって、弱いところもあるのに、人のダメなところや弱いところを責めるわけにはいかないですからね。お互い、完璧じゃないのが当たり前ってことにようやく気づいたっていうんですかね。不完全であるというのが完全な人間の証っていうんでしょうか」

「不完全であるというのが、完全な人間の証……ですか」

海人は自嘲気味に笑った。

「よくわからないですよね。でも、自分の中ではなんとなく腑に落ちたんです」

「いや、私もわかる気がします」

「人間には、いろんな面があります。優しい面、厳しい面、強い面もあれば弱い面もあり、明るい一面もあるし暗い一面もある。みんな一人ひとりが複雑なんです。その中で、どの一面を出すかというのは、状況によって、相手によって、変わってくるわけです。何のことはない。僕も同じでした」

海人はカラカラと笑った。

英雄は改めて、海人の心の大きさと深さに圧倒されていた。

「私は……空さんの、『ハルカ』役の演技。最高だったと思っています。あの映画に出合えてよかったと思っています」

英雄は、何度も見たあの映画の、ヒロイン役が目の前にいる青年の姉だったことに、出会いの奇跡を感じていた。もちろん、その相手役だった芹沢将志に会えたこともそうだ。

これだけ偶然が重なると、自分が今、ここにいるのは、何か意味があることに違いないと、考えざるを得ない。でも、それが何なのか、英雄にはわからない。そのことが、英雄にとっては悔しくてたまらなかった。

「ありがとうございます。誰も恨まず、人を嫌いにならないことはできるようになっても、無念さや悔しさがなくなることはもちろんないんですね。ただ、もしあのときの自分が、今の自分くらい、いろいろな人との出会いから、いろんなことを学んでいたら、姉は死ななくても済んだかもしれないって思うんです。そう考えると残念です。

もちろん、考えすぎると、自分を恨んで、自分が嫌いになってしまいますが、実際そういう過去があっての今なので、あり得ない話なんですけどね。でも、学んで強くなるって大事だって思います」

英雄は、テーブルのキャンドルライトが海人の顔につくる影が揺らぐのを見つめた。

「もし、過去に戻ってお姉さんに何か言えるとしたら、何て言うんですか？」

海人は苦笑いをつくった。

英雄は慌てて、言葉をつないだ。

「いえ、答えたくなければ答える必要はないです。ただ……ただ、私も室長から学んでおけば、もしかしたら将来救える命があるかもしれないと思いまして……」

海人はしばらく無言で天井を見上げて考えていたが、ゆっくりと、大きく何度もうなずいて、穏やかな笑みを浮かべた。

「そうですね。役に立つかもしれませんもんね」

そう言って、英雄のほうに少し身を乗り出した。

「世間からの風当たりが強いと感じたときに、怖くなって、萎縮してしまって、縮こまって、どこかに隠れたくなるのは、人間だから当然だと思う。だけど、向かい風が強ければ強いほど、翼を広げれば空に飛び立てるんだ。だから勇気をもって翼を広げてみなよ。怖がることはない。経験したことがないほど強い向かい風は、今いる場所から一気に飛べって合図だよ。ふわって浮いて、高く高く飛べって合図だ。ほら翼を広げてごらんよ、空《そら》姉《ねえ》。今までは追い風だった。でも追い風では翼があっても空は飛べないんだよ。これはピンチじゃない。絶対にチャンスの風だ。

……そう言ったでしょうか」

英雄は、海人がまさに、自分ではなく、姉の吉川空に向かって話しているのを感じた。にもかかわらず、それは今の英雄にとってこそ必要な言葉だと感じた。海人自身にとっても。

しばらく、心を打ち抜かれたような感動に英雄は言葉を失っていた。

「この話は終わりにしましょう。さっさと食べて帰りますか。明日も早いですし」

海人がいつもの明るい表情で言った。

「はい」

英雄もなんとか笑顔をつくって、それに答えた。

窓の外には雪がちらつき始め、通りを行き交う恋人たちは、いっそう肩を寄せ合い、歩いていた。

波田山一樹

@東京・国分寺

成田空港に降り立った海人と英雄は、すぐにリムジンバス乗り場に向かった。

ニューヨークに比べると、寒さはそれほど厳しくない。むしろ涼しくて気持ちがいいと感じる程度に、風もなく、冬の太陽が照りつけていた。

新横浜行きのバスはすぐにやってきた。詰めなければならないほど混雑はしていなかったが、窓側に座った英雄のすぐ横に海人は座った。大人が二人で並んで座るとさすがに窮屈だった。

「前に座らないんですか？」

英雄は海人に促してみた。

「事務所に着くまでに、ちょっとお話があるんですよ」

「はい……何でしょう」

英雄は座り直しながら、上体を海人のほうに向けた。

「実は先ほど、会社からメールが入っていまして、今配達しているもののほかに緊急で一件回ってほしいと連絡がありました」

「遠いんですか？」

「国内ですが、奄美大島なんですよ」

「奄美大島って……」

英雄はしばらく考えたが、答えが出てこなかった。

「どこでしたっけ？」

「鹿児島です」

「それはまた結構遠いですね」

海人はうなずいた。

英雄は、なんとなく覚悟していたことなので、かろうじて笑顔をつくることができた。

「大丈夫ですよ。なんとなく慣れてきました」

「いや、それじゃあ、ちょっとまずいんです」

海人が苦い表情をした。

「え？　どういうことですか」

英雄が聞き返した。

「二週間以内に配達するようにと言って渡された五通の手紙のうち、最後の一通が残っています。その期限が今日を入れてあと四日しかありません。これから二人で、奄美大島に行って、手紙を渡して帰ってきたら、間に合わない可能性があります」

「はい……」

「二手に分かれましょう。そうすれば、今日はこのまま帰れるし、明日、一度事務所に寄ってもらえれば、明後日からの配達に間に合います」

「つまり……私ひとりで行けと……」

海人は笑顔でうなずいた。

「もう、四件も見てきましたから、大丈夫ですよ。いずれにしても、五件目が終了したら、来週からはひとりで回ってもらうことになっていましたから、一件早くなるだけです」

英雄は緊張したが、大きく息を吸って背筋を伸ばすと、覚悟を決めた。

必要な仕事とあらば、泣き言を言っている場合ではない。やるしかないのだ。

「わかりました。やらせていただきます。奄美大島の……お名前は、何という方ですか？」

海人は首を振った。

「奄美へは僕が行きます。新井さんは、五通のうちの最後の一通を届けに行ってください」

「どこになりますか？」

英雄は緊張の面持ちで尋ねた。

海人は英雄の反応を見ながらゆっくり言った。

「オーストラリアのマリオンって都市を知ってますか?」

「……オーストラリア」

英雄は一瞬固まったが、最初に任される仕事で、動揺を顔に出してはいけない。できる限り平静を装って返事をした。

「いいえ……初めて聞きました」

「そうですか。行ってもらうのは、そのマリオンの姉妹都市の、国分寺です」

英雄は目をむいた。

「えっ? もう一度聞きますけど、国分寺……って、東京の国分寺市でいいんですよね。南半球じゃなくて、国分寺で」

海人はケタケタ笑った。

「東京の国分寺です。間違いありません」

英雄は安堵のため息を漏らした。

「室長ぉ!」

十日間ほど一緒にいるだけで、海人との距離はかなり縮まっていた。

＊＊＊

国分寺駅の改札を出た英雄は、もう一度ジャケットの内ポケットから、配達者の資料を取り出した。もう何度目になるかわからないが、もう一度目を通しておこうと思った。

そこには、配達者の名前と配達場所の情報が書かれた書類に、どこで撮ったのか私服を着てファミリーレストランから出てくる姿を捉えた写真が添えられていた。表情がよくわからない。はたしてこれで本人が現れたときにわかるのだろうかと不安になった。

名前は波田山一樹《はたやまかずき》。配達場所のところには、

「毎週土曜日の十八時、国分寺南口にある、とある焼き肉屋にひとりで食事をしに来る」と書かれ、地図が添付されている。情報としては心許ない。地図上にピンが打たれているが、そのピンがその焼き肉屋ということだろうか。

正直、「これだけ?」と思って、何度も資料を見直したが、それ以外には何も書かれていない。裏を見たり、太陽に透かしてみたりと、いろいろとやってみるも、ほかに何かが書かれている様子はなかった。

「要は、この時間に、その焼き肉屋に行ってみろってことか?」

それ以外に考えようがないので、とりあえずその時間に間に合うように国分寺駅に来てみた。

相変わらず、すれ違う人たちが、英雄のことを二度見していく。まあ、二人のときよりも注目度が下がった気がするのが救いではあるが。人々の視線にもだいぶ慣れてきた。

腕時計を見ると、十七時四十五分だった。

駅の南口は高台になっていて、そこから道が放射線状に延びている。英雄は右に延びる道を見据えた。

「あっちだな」

先ほど記憶した地図を頼りに歩道を歩くと、思ったよりも早く目印のコンビニが見えた。

「これを左に曲がってすぐか……」

目当ての焼き肉屋はすぐにあった。

店の前を、中の様子をうかがいながら歩いてみたが、あまりよく見えない。間口が狭く上に長い店を見上げると、二階にも座席がありそうだ。まだ、客はほとんど入っていない感じではある。

「これじゃあ、もう来ているのかどうかもわからないな」

英雄はしかたなく、入り口が見える位置で十八時まで待つことにした。

「本当に来るのか？」

と思いながら腕時計を見ようとしたとき、波田山一樹は現れた。

ボサボサに伸びた髪を隠すかのように帽子を被り、無精ひげにメガネ。明るめの茶色のダウンジャケットにジーンズという、添えられていた写真とまったく同じ出立ちで、ひとり焼き肉屋に吸い込まれていく姿には、覇気がなかった。

「写真と同じ服を着てくれていて助かった」

英雄は安堵の独り言を言った。

話しかけても無視されそうな気がする。英雄は急に鼓動が速まるのを感じた。思えば、これまではすべて海人が、タイミングを見計らって話しかけ、手紙を渡していた。英雄はそれを見ていればよかった。

「勘です」

海人は、そう言ったが、今の状況で、英雄の勘は全く働いていない。今、行くべきなのか、待つべきなのか、皆目見当がつかない。

波田山一樹はひとりで食事をしに来たわけだから、待っても一時間ってところだろう。出てくるのを待つというのが無難な選択のように思える。ただ、資料に『十八時』と明記してあるのには、その時間にこそ何らかの理由があるんじゃないかとも思える。

英雄はさりげなく中の様子をうかがうようにして、店の前を歩いてみた。中の店員が動く様子を見ると、一階の席に座ったようだ。

「行くか！」

瞬間的に身体が入り口のほうへと動いた。勘というわけではない。今がベストのタイミングだと思ったわけでもない。つい動いてしまったと言ったほうが正しいだろう。

次の瞬間に冷静な自分が、「本当に行くのか？　今でいいのか？」とささやいたが、時すでに遅く、自動ドアが開いて、中から、「いらっしゃいませ、おひとりさまですか」という元気な声が聞こえてきた。

英雄は、タイミングを間違えたかと気を動転させるも、ここまで来たら引き返すわけにもいかない。

「あっ、いえ。あの……ちょっと用事が」

そう言いながら、店の様子を見渡してみると、一階の一番奥のテーブルに波田山一樹が座っているのが見えた。

英雄のその様子を見た店員は、「ああ、お待ち合わせですか？」と聞き直したが、波田山にしてみたら自分は初めて見る他人なのだから、「はい」と言うわけにもいかず、首を

横に振って、

「そこに座ってもいいですか？」

と、波田山の隣の空席を指さした。

「ええ、どうぞ」

店員は英雄を案内すると、

「ご新規一名さまです」

と厨房に向かって声をかけた。

「まいったな」

英雄は壁を背にするように腰を下ろすと、すぐ左側に座っている波田山一樹を見た。

一樹は、隣に座った客の視線を感じたのか、目だけを英雄のほうに向けた。一樹と目が合った英雄は、慌てて笑顔をつくり会釈した。

一樹は少し驚いて、中途半端な笑顔を返してきた。

ここしかない、と英雄は思った。このタイミングを逃すと、食事をしている間中、そのタイミングは訪れず、食べ終わったあと追いかけるように店を出て、手紙を渡さなければならないだろう。会計のことなどを考えると、あまり得策とは言えない。

「Now or Never!」

自分に言い聞かせるように、心の中で大声をあげた。

「おひとりですか？」

話しかけられると思っていなかった一樹は目を丸くした。

「え？　あ……はい。そうです」

「ここ、よく来るんですか？」

「ええ……まあ」

「私、ここ初めてなんですよ。何かお薦めありますか？」

そんなことは店員に聞けよと言わんばかりの反応を英雄は覚悟したが、一樹から返ってきた反応は案外優しいものだった。

「ここの店は、何、頼んでも美味いですよ」

「そうなんですね」

メニューを開くと、店員が水とおしぼりを持って近づいてきた。

「お決まりですか？」

「じゃあ、波田山さんと同じものをお願いします」

一樹は、驚きに身をこわばらせて、隣の白ずくめの男のほうを振り返った。

「え？」

店員は意味がわからず、聞き返した。

「ああ、お隣の方と同じものをお願いします」

「えっと、はい。わ……かりました」

店員は一樹の様子をチラッと見てから、オーダーを書き込んだ。

「驚かせてすみません。実は私はこういうものです」

英雄は名刺を差し出した。この二週間の間に会社が用意しておいてくれたものだ。

「株式会社タイムカプセル社　新井英雄さん……」

一樹はまだ表情をこわばらせたまま、恐る恐る手を伸ばして名刺を受け取ると、そこに書いてある名前をつぶやいた。

「はい。弊社は、未来の自分に向けて書いた手紙をお預かりして、それをお届けする会社です。今から十年前、中学の卒業記念に、十年後のご自分に宛てて手紙を書いたのを覚えていませんか」

そう言いながら、英雄は一通の手紙を差し出した。

一樹はそれを受け取ろうとはせず、苦笑いをした。

「受け取りを拒否したら、こうやってわざわざ持ってくるんですね」

「え？」

今度は、英雄が驚いて一樹を見た。

「それ、一度僕の家に届きましたけど、受け取りを拒否しました。いたずらだと思って気味が悪かったんですが、本当に自分が書いた手紙だったんですか」

「……」

英雄は手紙を一樹のテーブルの上に置いた。

「受け取りを拒否したというのは……」

「差出人のタイムカプセル社という社名に聞き覚えがなかったので、受け取らなかったんですよ。ほら、勝手に商品を送りつけておいて、受け取ったら高額請求とかされる可能性があるかと思って」

「なるほど……」

「で、これは、僕が僕に書いた手紙だと……」

「はい、そうです」

一樹は鼻で笑った。

「いらないです。読みたくないし」

一樹は手紙を自分のテーブルから取り上げて、英雄のテーブルの上に置き直した。予想外の反応に、英雄は一瞬、息が止まった。

「受け取っていただかないと困ります」

「じゃあ、その辺に捨てていってください」

英雄は首を横に振った。

「ご本人に、しっかり配達するまでが私の仕事ですから。こちらに……」

英雄は別の書類を上着の内ポケットから出した。

「受け取りのサインをいただくまでは、帰れません」

一樹はため息をついた。

「わかりましたよ。じゃあ、ください。自分で捨てますから。それなら文句ないでしょ」

一樹が伸ばしてきた手よりも先に、英雄は手紙を取り上げた。

「待ってください」

英雄は困り顔で一樹のことを見た。

「だって、僕の手紙を僕がどうしようが勝手じゃないですか」

「そうなんですけど、ちょっと待ってください」

「どうかしましたか?」

二人のやりとりの雲行きが怪しいと感じたのか、店員が二人のテーブルの間に立って、
一樹と英雄を交互に見た。

「いえ、なんでもありません」

気まずい雰囲気のなか、英雄が言った。幸い、そのとき入り口が開いて、別の客が店に入ってきたので、店員はそちらに向かった。

英雄は、相手の許可も得ず、自分のテーブルの上の水とおしぼりを持つと、一樹のテーブルへと移り、一樹の目の前に座った。

一樹は特に何も言わなかった。

「波田山さん、これは、たしかにあなたのものです。ですから、どうしようとかまいませんが、読んでみたらどうですか？　読みたくない内容かもしれませんが、紛れもなく過去のあなたから今のあなたへのメッセージです。それに耳を傾けてあげてもらえませんか。もっと自分の言葉を大事にすべきです」

「……」

英雄の言葉に、一樹の表情が曇った。

「もういいんです」

「どういうことですか……」

「そこに書いたことはなんとなく想像ができます。僕は、その頃、夢を持っていました。そのことが書かれていると思います。そして、その夢を実現しました。だけど、そこは僕が思っているような世界ではなかった。僕は心を病み、その仕事を辞め、別の仕事に復帰する気にもなれず、今は生きているとは言い難い、ただ息をしているだけのような毎日を過ごしています」

最後は消え入りそうな声だった。

「……」

英雄は、一樹の次の言葉を待ったが、それ以上の話が出てきそうにはない。英雄が話をするしかなかった。何を話していいかわからなかったが、英雄が話し始めたのは、自分自身のことだった。話しながら、どうしてこんな話をしているのか、英雄自身がいちばん不思議に思っていた。

「私もそうでした」

一樹が顔を上げた。

「夢を抱いて会社を作り、成長して社員もたくさんに増えた時期もありましたが、結局倒産しました。私はどうしていいかわからなくなって自暴自棄になり、そんな私から、妻も子どもも去っていきました。そのことがさらなる追い打ちとなり、私は働く気をなくしました。死ぬことすら考えました。

でも、死ぬことはできませんでした。前に進む勇気も、人生をこれで終わりにする勇気もない自分に幻滅しました。でも、……でも、こうやってまた歩き始めることができました。それは、本当にちょっとしたきっかけがあったからです」

「ちょっとした、きっかけ……？」

「はい、真っ暗な未来の中に見えた、ほんの小さな光のようなものです。同じように、この手紙は、波田山さんの未来に小さな希望の光をもたらしてくれるかもしれません。いえ、きっともたらしてくれます。今まで私が配達してきた方々を見て確信しました」

「ん？　……ほかにも誰かに配達したの？」

一樹は、英雄の期待とは異なる部分に反応した。

英雄には、そのことを伝えていいのかどうかわからなかったが、一樹にとって何かのきっかけになるのであれば教えてあげるべきだと思った。

「波田山さんと同じクラスだった、嶋明日香さん、森川桜さん、芹沢将志さん……あと重田先生です」

「え！　本当ですか？　みんな元気でしたか？　特に将志はしばらくテレビで見なくなったから心配していたんですよ」

「お元気でしたよ。手紙を読んでもう一度、やり直してみようって言っていました」

「そうか……明日香も元気でしたか？」

英雄はうなずいた。

「そうですか……」

昔を思い出したからか、一樹の表情が幾分、緩んできた。

「僕、明日香のことが好きだったんです……結局、告白なんてできないまま、会えなくなったけど。幸せでいてほしいな。どうですか、幸せそうでしたか？」

英雄は笑顔でうなずいた。本当は、彼女も自分の人生に行き詰まって、自暴自棄になる一歩手前のところで、昔の自分が書いた手紙に救われたのだが、そんな立ち入ったことまで伝えることは許されないだろう。それに、一樹にとっては、昔の思い出の中の嶋明日香が幸せになっていると思えたほうが幸せなことだろう。

「そうか……綺麗になってるだろうな。まあ、向こうは僕のことを覚えてもいないでしょうけどね」

一樹は少し寂しそうに笑った。

「波田山さん、読んでみませんか？」

英雄は優しく語りかけた。

目の前では、肉が香ばしい匂いを放ちながら、ジュウジュウといい音を立てている。

英雄はロースターに手を伸ばした。肉を裏返す煙の向こうに、皿の上に盛り分けられた肉をぼんやりと見つめる一樹の顔が見える。あとから入ってきた客には、二人で焼き肉を食べに来たようにしか見えないだろう。

「僕は、あの頃、学校の先生になりたいって思っていました。その思いはずっと変わらずに、大学も教育学部に行って、卒業後すぐに中学の先生になったんです。ところが、先生という仕事は、僕が夢見ていたものとは全く違いました」

「何が違ったんですか？」

「何もかもです」

「何もかも……？」

「はい……学校では、僕のような気が弱そうな先生の言うことなど誰も聞きません。どんなにいい授業をしようと、誰も聞いてくれないんです。そのくせ、くだらないギャグばかり言ういい加減な先生や、あまり子どものことを考えていない肉体派の高圧的な先生の言うことは、みんな聞くんです。僕みたいな性格の人がやれる仕事じゃなかったんです」

「あきらめるのは早いんじゃないですか？」

英雄は優しく言ったが、一樹は力なく首を振った。

「たとえ生徒との人間関係がうまくいったとしても、もう、あの仕事をしたいとは思えないんですよ。子ども以上に、わがままな親たちの顔色をうかがいながら仕事をするのにも疲れました。それに……」

一樹は、続きを話すのをためらうように、話を切った。

「それに?」

英雄が促した。

「僕は、どうして先生になりたかったかわかりますか? 僕はこの国が大好きなんです。あるときそれを僕のじいちゃんに言ったら、『それを子どもたちに伝えていくことが、何より大事なことなんだ』と言ってくれました。それ以来、大人になったら、子どもたちに日本は素晴らしい国なんだぞってことを伝える仕事をしたいと思って、だから、社会の先生になったんです。でも、なってみてわかりました。そんなことを伝えるのが中学の先生の仕事ではなかったんです。

僕は、先生になりたいという思いと、なったらこんなことをやりたいという子どもっぽい夢だけで、いい先生になれると思っていました。でも、実際の先生の世界は違いました。

気がつけば、僕は、生徒たちから嫌われ、親たちから非難され、同僚の先生たちから否定されていました。そのストレスに耐えられなくなり、胃潰瘍になり入院しました。治ったら復帰するつもりでしたが、いつまで経っても、あの環境に戻ろうという思いが湧いてこないんです。

病気から回復して、自宅療養を続けるようになると、どこも悪くないのに、学校に行こうと思うと、動悸が激しくなり、めまいがするようになりました。それは、いつまで経っても治りませんでした。職場復帰できる精神状態ではなくなっていく自分がわかりました。それで、僕は、学校の先生を辞めることにしました」

「そうでしたか……」

「僕も、新井さんと同じです。何度か死のうとしました。でも、いつも、あと一歩のところで怖くなってできないんです。そして、そのとき必ず、『それを子どもたちに伝えていくことが、何より大事なことなんだ』ってじいちゃんの言葉を思い出してしまうんです。僕は、どうしていいかわからなくなって、よけいに深みにはまっていくんです」

一樹が箸をつけないので、一樹の目の前にも英雄の目の前にも、焼き終えた肉が並んでいく。その様子に気づいた一樹が、英雄に言った。

「どうぞ。食べてください」

「波田山さんもどうぞ」

「僕は、肉を食べたい気分ではないので……」

実際に、波田山が注文したのは冷麵で、肉はテーブルを同じにしてから英雄が追加で注文したものだった。

「たしか毎週土曜日に、この店に来ていると伺いましたが」

一樹は苦笑いをした。

「よく知ってますね。お店にとっては迷惑でしょうが、冷麵だけ食べて帰ります。仕事をしていたとき毎週土曜日は、一週間頑張った自分へのご褒美として、この店に来て焼き肉を食べていたんです。仕事を辞めてしまった今も、あらゆる習慣をすべてやめてしまったら、本当に社会復帰できなくなるような気がして……それで、週に一回ここに来る習慣だけは続けているんです」

「そうだったんですか」

英雄は肉を口に運んだ。


「波田山さん。手紙、やっぱり読んでもらえませんか。そこに何が書いてあるかはわかりませんが、きっと今日を新しい人生の最初の日にできるような、そんな言葉がどこかに書かれているんじゃないかと思うんです。

差し出がましいようですが、私は、波田山さんがやろうとしたことも、波田山さんのおじいさまも間違えていないと思うんです。でも、先生じゃなくてもできるじゃないですか。日本は素晴らしい国だぞってことを伝えることは、なにも社会の先生じゃなくてもできることじゃないですか。本を書いてもいいし、人前で話してもいいし、ほかにもいろいろ方法はありますよ。それを探してみましょうよ」

「そんな生き方、僕にできると思いますか？」

「できるに決まってます」

「本一冊書いても、それで生きていけるわけじゃないですよ……それで有名になったとしても、また、いろいろ叩かれるんじゃないかと思うと、その方向で活躍したいとも思えませんよ」

「気持ちはわかります。でも、そんな社会のままでいいんですか？」

「え？」

「今は、そんな社会なのは認めます。でも、そんな社会のままでいいんですか？　子どもたちに、日本は素晴らしい国だということを伝えたいんじゃなかったんですか？　そんな今の日本を僕らは一緒につくっているんですよ。それを変えなくていいんですか？」

「一緒にって、僕はつくってませんよ……」

「つくっています。一緒につくっているんですよ。だから、ひとりずつが勇気を持って、少しだけでもいい社会にできるように一歩踏み出せば、その分だけいい日本になるじゃないですか」

「それは理想であって、現実は違うでしょ……」

「現実に行き詰まったからこそ、理想を追うチャンスじゃないですか」

「理想を追うチャンス……?」

「そうですよ。みんな理想よりも現実を優先するのは、そのほうが無難で、リスクが少ないからじゃないですか。でも、その現実が行き詰まったんですよね。現実がすでにハイリスクなんですよね。このままだと生きていけるかどうかわからないほど現実が行き詰まったのなら、理想を追うチャンスじゃないですか」

「理想を追うチャンスが……今」

英雄は力強くうなずいた。

「人生、一寸先は闇です。どんな仕事をしていても同じです。みんなその闇が怖い。私も怖くてたまらなかった。そして、現実にそのいちばん怖い現実が、私の人生でやってきました。でも、気づきました。その闇の先には必ず光もあるって」

「一寸先は闇……その闇の先には光あり……ですか……」

「波田山さんの今の状態は、闇の中かもしれません。でもその先に光が見えたとき、この闇が、次に生きていく世界の中で必要な闇だったとわかるはずです。だから、どうか、捨てないで、この手紙を読んでください……」

そう言うと、英雄はもう一度、一樹に向けて手紙を差し出した。

「闇の先にある光……か」

つぶやくようにそう言うと、一樹はゆっくりと手を伸ばした。そして、手紙を英雄から受け取ると、一樹はゆっくりとそれを鞄の中にしまった。一樹は秀雄の視線を感じて言った。

「そのまま捨てるんじゃないかって心配してますか？」

「え、いや、まあ」

慌てる英雄を見て、一樹は少し微笑んだ。

「わかりましたよ。ここで読みます」

一樹は、落ち着いた様子で鞄に手を入れると手紙を取り出し、封を開けて、それを読み始めた。

波田山一樹さま

二十五歳の僕は、この手紙をどこで読んでいますか？

なんだか、全く想像つかないです。

十年後の僕は、今の僕の将来の夢をもう実現しているのでしょうか。

でも、二十五歳ということは、まだまだ修業中かもしれません。

一日も早く立派な寿司職人になって、じいちゃんが捕ってきた魚を、握って出すお店を作りたいと思っています。

僕たちはもうすぐ中学を卒業します。
そうすると、みんな島を出て、高校に通うことになります。
先のことは、なんにもわかりませんが、
これを読んでいる僕が、幸せであることを願っています。

おわり

一樹は手紙を開いたまま、笑い始めた。

「どうでしたか」

英雄の問いかけにもしばらく答えず、一樹は笑い続けている。

ようやく落ち着いた頃に、一樹は手紙をたたんで封筒にしまった。

「なんて言えばいいでしょうか……僕は、どうやら自分の過去を勝手につくり上げていたみたいです」

「どういうことですか?」

「僕は、昔からずっと学校の先生になりたいと思っていたと、自分で思い込んでいました。でも、この手紙は、今の僕に『立派な寿司職人になっているか』と聞いています。そんなことを考えていたなんて、今の今まで忘れていましたが、たしかに、そんなことを考えていた時期があった気もします。

人間の記憶なんて当てにならないものですね。起こった出来事から、そこに至る過去の記憶を引き出してきて、物語をつくって、それが自分の過去だと思い込んで……なんだか、学校の先生になるのは、子どもの頃から大切にしてきた夢なのに、という不幸な人生に酔いしれていたみたいで、自分のことが笑えてきました」

「どうして、寿司職人だったのが変わってしまったんでしょうか」

「たぶん、じいちゃんが死んじゃったからでしょう。僕は漁師だったじいちゃんが大好きでした。でも、船に乗ると船酔いがひどくて、漁師になりたいとは思わなかったんです。だから、じいちゃんが捕ってくる魚を使って寿司屋を開きたいって思うようになりました。そう、そうでした」

一樹は過去の記憶をたどるように思い出話をしながら、自分の記憶を書き換えていった。

「だけど、担任の森下《もりした》先生と出会って、先生も悪くないなぁってあの頃思っていたのもたしかです。だから、じいちゃんが亡くなって、寿司職人の道を捨ててしまった僕には、先生という道しか残らなかったんです……たぶん」

一樹は、自分の記憶が当てにならないという経験をしたばかりなので、「たぶん」という言葉でその辺りを曖昧にした。実際のところ、ほかにも何かを考えていたかもしれない。

「森下……裕樹《ゆうき》先生……でしたっけ」

「そうです。よく知ってますね。いつか、僕は先生に、どうして先生になったのかを聞いたことがあったんです。どうしてそんなことを聞いたのか、どうしてそこに先生と一緒にいたのかは覚えていません。でも、海を見ていました。学校の外で偶然先生に会ったのかなぁ」

一樹は、遠い目をしながら話し続けた。

「そしたら、先生が言ったんです。『生まれてきたときよりも、いい社会にして死にたいからだ』って。キザな台詞だったんですけど、僕はかっこいいと思ったんです。小学校のときから、学校の先生は、遠足に行くたびに『来たときよりも美しく』って言って、遠足で使った場所を子どもたちに掃除させるんです。毎年毎年、同じ言葉を言うので、『どうせ、来たときよりも美しくって言うんでしょ』って若干うんざりしていたんですが、森下先生のその言葉を聞いたときに、最初に頭の中に浮かんだのは、『来たときよりも美しく』という言葉でした。

大人も、子どもも一人ひとりが、この世に来たときよりも美しい世の中をつくってこの世を去っていくことができれば、世の中は素晴らしいものになるのにって、僕の中で、理想的なイメージがふくれあがっていきました。そうだった気がします」

「そうですか」

英雄は話を聞きながら、一樹の表情が、手紙を読む前とは違ってきていることに気がついていた。きっと、一樹にとって、この手紙は闇の先にある一筋の光になったのだろう。

「波田山さん。お手紙は、闇の向こうに現れた小さな光になりましたか?」

英雄は敢えて聞いてみた。聞くのが適切かどうかはわからなかったが、どうしても聞いてみたいと思った。

一樹は、少し考える仕草をしたあとで、英雄に対して笑顔を向けた。

「はい。まだ、ぼんやりとしか光っていませんが」

英雄はうなずいた。

「十分ですよ。私も最近、闇の先に光を見つけることができました。これってすごいことです。それまでは、死にたいとさえ思っていた男二人が、今よりも美しい社会をつくるために、自分にできることを探し始めたわけですから」

一樹は苦笑いをした。

「新井さんのおかげです」

「私はただ、手紙を届けただけです。お礼なら、昔の自分に言ってください……」

一樹は首を横に振った。

「現実に行き詰まったからこそ、理想を追うチャンスじゃないかという、新井さんの言葉が、胸に刺さりました。そこまで考えるほど僕は強くなかった。でも、きっと新井さんをはじめ、世の中には僕よりももっと苦しい思いをして、それでも立ち上がって、理想に向けて戦っている人がたくさんいるんだという気がしてきました。それに、一寸先は闇、でもその先に光があるってのもグッときました」

英雄はあまりにほめられたので、どういう表情をしていいかわからなくなって、一樹から視線をそらした。

「あ、そうでした」

思い出したようにそう言うと、アタッシュケースの中から、ペンと書類を取り出した。

「こちらに受け取りのサインをいただけますか?」

一樹はペンを受け取ると、

「万年筆なんて使ったことないから、うまく書けるかなぁ」

と言いながら、受け取りのサインをしたかと思うと、急に立ち上がった。

「新井さんありがとうございました。僕はこれで失礼します」

急に立ち上がった一樹につられるように英雄も席を立った。

「新井さんは、まだいてください。ほら、肉が残ってますよ」

「あ、でも」

ためらう英雄に、一樹が言った。

「また、お会いしたいです」

「私も、ぜひ」

英雄が右手を差し出すと、すぐに一樹がその手を握り返してきた。

英雄は立ったまま、会計を済まして、店の外へ出ていく一樹を見送った。開かれた自動ドアの向こうで雪が舞っているのが見えた。

その先の光

八王子駅で横浜線に乗り換えた英雄は、電車が発車するのを座って待っていた。

窓の外には相変わらず雪がちらついている。

タイムカプセル社に入って最初の仕事をなんとかやり遂げたことに安堵し、同時に一気に疲れが襲ってきた。この二週間、慣れないことの連続で、それについていくのに精一杯だったのだから無理もない。が、この疲れも心地よい。

これから新横浜に戻り、波田山一樹から預かった受領書を会社に届けたら、初めて一人で配達した仕事の完了となる。


英雄は、この二週間のことを順に思い起こしていった。

止まっていた自分の人生が、もう一度動き始めたという実感がある。

それは、実際、休む間もなく、大阪、東京、北海道、ニューヨーク、そして東京と移動し続けていたからでもあり、その行く先々で、新しい出会いがあったからでもあった。

出会った人は誰もが、それぞれが悩みを抱えていた。でも、過去の自分が書いた手紙と出合うことで、心の闇の中にいた彼らが、その先にある光に気づき、新しい人生を始めるきっかけを得ていった。

もしかしたら、それは、手紙じゃなくてもよかったのかもしれない。誰もが今の闇から抜け出すきっかけを待っていたような気もする。だから、手紙の内容そのものに加えて、タイムカプセル社の社員とのあり得ない状況での出会いを、そのきっかけにしようとしたのだろう。いや、それ以上にそこで「吉川海人」という人間に出会ったというのが大きな要因だろう。

英雄は経営者時代に、何度も講演会に足を運んでいた。経営のヒントを得るというのも、大切な目的ではあったが、いちばんの目的は心に火をつけることだった。自分の心に火をつけるためには、心に火を灯して生きている人の話を聞きに行くのがいちばんだった。

そのことを伝えるために、社員研修で、火をおこさせて飯ごう炊さんをさせたこともある。火がついていないところに火をつけるのは、本当にたいへんだ。何時間かけてもつかないことだってある。だけど、すでについている火をもらうのは、ほんの数秒あればできる簡単なことだ。

心に火をつけるのだって同じように、何もないところから火をおこそうとすると、たいへんな労力を強いられるが、火がついている人からもらうのは一瞬でできる。

やる気が起きなくて、どうしたらやる気が出るかなぁなんて考える暇があったら、どんな内容でもいいから、心に火がついている人の話を聞きに行けと言っていた。

「そんなことすら、自分で忘れていたのか……」

英雄は自分にあきれて思わず笑みがこぼれた。

手紙を受け取った人たちが、闇の向こうに、一筋の光を見つけることができたのは、吉川海人という人間の心の火を移してもらったからかもしれない。

現に、英雄自身がそうだった。

海人と出会った瞬間から、自分の中の不安が薄れ、優しさや強さが大きくなるのを感じた。それは、海人が、誰よりも深く暗い闇から、遠くのかすかな光を頼りに戻ってきたからだろう。

苦しみを乗り越えれば乗り越えるほど、優しく、そして強くなれる。そしてその優しさ、強さは、周りの人たちの心に火をつける。

「そういうことなんだろう」

英雄はそう確信した。海人ほどうまくはないだろうが、英雄にも先ほど出会った波田山一樹の心に火をつけることができたのではないだろうか。それができたのは、きっと自分もこれまでの人生の中で、大小たくさんの苦しみや闇を経験し、それを乗り越えてきたからに違いない。

それは、小さな小さな炎かもしれないが、自分の心にも、まだ火が灯っていたという証だろう。だからこそ、一樹の心に火をつけることができたのだ。

そう考えると、自分の心に灯った、いや、正確には海人から再び灯してもらった、この人生の火を消したくないと思った。もっともっと大きくしていきたい……。

扉が閉まり、電車が動き始めた。

英雄は心地よい揺れに身を任せて目を閉じた。

＊＊＊

新横浜の駅に着いたとき、時刻は二十一時を過ぎていた。

歩道にはうっすらと雪が積もり始めている。

事務所に人がいるかどうか……。

タイムカプセル社が入っているビルの下から見上げると、電気がついている。

「誰かはいるようだ」

英雄は、エレベーターへと急いだ。

扉を開けると、そこにいたのは海人だった。

「お帰りなさい」

海人は、笑顔で迎えてくれた。

「ただいま戻りました」

英雄は、受領書を差し出しながら言った。

「どうでしたか？　初めてのおつかい」

英雄は苦笑いした。

「いやぁ、とにかく必死で、あれでよかったのかどうかわかりませんが、とにかく渡すことはできました」

「いやいや、なかなかですよ。最初の配達で相手と焼き肉つついてくるって、なかなかできることじゃありませんよ」

海人は笑いながら言った。英雄は驚いて目を丸くした。

「見てたんですか？」

海人は相変わらず笑っている。

「まさか、匂いですよ、服についている」

「ああ、……匂いますか」

英雄は照れくさそうに頭をかいた。

「まあ、何はともあれ、我が社での最初の仕事はこれで終わりです。お疲れさまでした」

海人は明るくそう言って、頭を下げた。

「ありがとうございました」

英雄も頭を下げた。

「慣れないことばかりで疲れたんじゃないですか?」

「ええ、疲れました」

英雄は正直に言った。

「でも、室長と出会えて、この仕事をやってみて、もう一回、いろいろとやり直してみようと思えるようになりました」

「おお！　それはよかったです。しかも僕と出会ってって言われると……照れるなぁ」

「本心ですよ。完全に消えていた心の火を室長につけてもらいました」

「新井さん、表現が詩的ですね」

海人と英雄は二人で笑った。

ひとしきり笑ったあとで、海人が口を開いた。

「いいことがあると、過去が変わります。人間は未来を変えることができるといいますが、過去も変わるんです。ちょうどそんな話を北海道の森川さんともしたんですよ」

「過去が変わる?」

「僕と出会えてよかったんですよね。僕も新井さんと出会えてよかった。そして、新井さんと二人で何人かの人生をちょっとよくできた。だから、ほら、新井さん、会社倒産してよかったってちょっと思えるじゃないですか。だって、会社が倒産しなければ、これらのいいことは、ひとつも起こらなかったわけですから」

「そうですね……」

「でも、倒産してよかったと思うには、まだ喜びが足りない気もしますから、これからですね。これから、もっともっといい人生にしていきましょうよ。過去が素晴らしいものに変わり続けるように……」

「はい」

英雄は笑顔でうなずいた。

「さて、二週間の仕事を期限内に終えたので、明日はお休みです。新井さん、何か予定は？」

「予定というほどではありませんが、ちょっとやろうと思っていることはあります」

「そうなんですね」

「室長は？」

「僕は大阪です」

「大阪？　仕事ですか？」

海人は首を振った。

「半分仕事で、半分はプライベートかな。実は、お誘いがあったんですよ、最初に会った嶋明日香さんから、手紙を書いたのでもう一度会いたいって。で、暇ならぜひそのあと食事でも……と」

「そうなんですか。嶋さん、綺麗な人でしたもんね」

英雄は意味深な言い方をして微笑んだ。

「ええ、綺麗な人でした」

海人も微笑んだ。

「室長にとって素敵なクリスマスイブになることを願っています」

「新井さんも……」

事務所をあとにすると、先ほどからあまり時間が経っていないのに、すでに雪がだいぶ積もっている。

「明日まで降るのかな……」

英雄は空を見上げた。

音もなく舞い降りてくる雪は、急に視界に現れ、自分を中心に放射状に広がっているように見えた。

＊＊＊

起きてすぐに始めた部屋の掃除は昼過ぎになってようやく片づけの成果が見え始める程度だった。我ながら、ここまで放置した自分を情けなく思う。

幸いなことに、昨夜から降り続けていた雪の影響で、ゴミ収集車の到着が遅れている。

こんな時間でも、この部屋から生み出された八つのゴミ袋を出すことはできた。

英雄は、両手に二つずつゴミ袋を抱えて、ゴミ置き場までの道を二往復した。

部屋が片づいてくるにしたがって、心も整理されるように感じる。もっと早くにやるべきだったと思いながら英雄はなおも手を動かし続けた。

英雄が住んでいるのは、投資用に買ったワンルームマンションだった。大学の近くということもあって、すぐに借り手がつくと思っていたが、空室になる期間も結構長くあまり利益を生むとはいえない物件で、手放そうと思っていたが、条件よく売りたいと先延ばしにしているうちに会社の業績が悪化し、資金の面から、妻と子どもが出て行った自分の家のほうを手放さなければならなくなってしまった。

結果として、このワンルームを手放さずに置いておいたことや、ちょうど空き部屋になっていたことが味方して、ここに住むことができた。考えてみれば運がいいとも言える。

あらかた片づいたところで、英雄はクローゼットの中を見つめた。

中には一年半前に引っ越してきたとき以来、一度も開けていない段ボール箱が積み上げられている。中身は、前の家から持ってきた捨てるに捨てられないものの数々だ。

それは、英雄が新しい人生を始めるうえで、どうしても手を付けなければならない領域でもある。処分するにしても、とっておくにしても、これらの箱の中身と向き合わないかぎり、新しい人生を始めることはできない。

英雄は、クローゼットから段ボール箱を一つ抱えて、すっかり片づいて綺麗になったフローリングの上に置いた。ガムテープをはがすと、胸が苦しくなった。

中には、アルバム、整理されていない写真、額に入ったままの写真、それからいくつかの手紙や年賀状の束などが無造作に放り込まれていた。引っ越しをするときに、感傷に浸ることを恐れた英雄が、中身をできるだけ確認しないように放り込んだものだ。

今は、その一つひとつと向き合おうとしている。

まず取り出したのは、額に入った写真だった。

一つひとつを丁寧に段ボール箱から出しては、床に並べていった。

一つ並べるごとに、家族の記憶がよみがえってくる。

一つひとつ、どこに飾られていたものだったか、ありありと思い出せる。

新婚旅行で行ったタヒチの写真は、玄関に入ってすぐ。娘の卒園のときに家族三人で撮った写真は、リビングの窓際。写真館で撮った七五三の家族写真は、書斎の長机の上。

写真の中の幸せそうな笑顔に胸が締め付けられるが、予想していたよりも冷静に、その一枚一枚と向き合えている自分もそこにいた。

ひととおり写真を並べ終えると、今度はアルバムを取り出した。

アルバムの最初は、妻の美雪《みゆき》とつき合い始めた頃のものだ。

ひどいファッションだ。二人ともケミカルウォッシュのジーンズをはいている。思わず吹き出してしまう。

ページをめくると、二人でそれからいろんなところに行ったことがわかる。

二冊目のアルバムは、結婚式から始まり、娘の亜利紗《ありさ》の誕生。三冊目のアルバムは、いわば亜利紗の成長記録で、自分と美雪の写真はどんどん少なくなっていく。

そして、アルバムは三冊目の途中、亜利紗が小学校二年生のときの運動会の写真で終わっている。フィルムの写真を撮らなくなったからだ。デジタルで保存するようになってから、アルバムに写真を貼って、コメントをみんなで加えていくという家族の行事はいつの間にかなくなった。

真っ白のままのページをぱらぱらとめくって最後までいくと、英雄は、それを先ほど見たばかりのアルバムの上に重ねた。

次に、段ボール箱の中から出てきたのは、小さなお菓子の箱だった。中に何が入っているのか、見当がつかない。

開けてみると、英雄と美雪の結婚式のときの思い出の品々が詰まっていた。

参加してくれた人たちに配った案内や、当日撮ったポラロイド写真。寄せ書きに書かれたメッセージ。前日まで美雪が自分で作っていた髪飾りもあった。

箱の底には、招待状の余りだろうか、大きくて硬い封筒に入れられたカードのようなものが二通入っていた。

手に取って封筒を開いた瞬間、英雄はそれを思い出した。

披露宴で読み合った、お互いに向けての手紙だった。

実際には、サプライズで、当日、花嫁に手紙を読んで感動させようよ、という司会の友人の言葉に乗せられて書いたのだが、同じことを美雪にももちかけていたらしく、結局二人が交互に読む形になった。

つい便箋を開いてしまった英雄の脳裏に、それを読んだときの記憶がよみがえる。

動悸が速くなる。胸がきゅーっと締め付けられた。

手紙を閉じろと命じる心の声に抗うように、便箋に書かれた文字から目を離せない自分がいる。もはや、読むのを止めることはできなかった。

美雪へ

つき合いはじめてから
早いもので八年経ちました。
今日、こうして、二人の大切な人たちに囲まれて
結婚式が挙げられるなんて
本当に夢のようです。

この日が来るまで
美雪にはだいぶ待たせてしまったと思います。
俺の仕事が軌道に乗るまで、一人前になるまで……
と頑張っているうちに、ものすごく時間がかかってしまいました。
でも、こうやって、この日を迎えられたこと
本当にうれしく思います。

その間、美雪はずっと

文句も言わず、ただ俺を信じて待っていてくれたね。
ありがとう。
本当に、本当に心から感謝しています。

サプライズで
美雪に手紙を……
という話があがってきたとき、美雪はきっと嫌がるだろうなと思ったけど
俺は、今の自分の気持ちを忘れたくないと強く思うので
集まったみんなの前で、それを
手紙に書いて読めるということに喜びを感じています。

俺は、人生を懸けて
美雪を幸せにします。
これからも、今までと同じように、山あり、谷ありで
いいときもあれば、悪いときもあると思うけど
一緒に笑いながら、乗り越えていこう。

そして、二人で、幸せな家庭をつくっていこう。

これからも
いつも隣で笑っていてください。
今までと同じように……

英雄

読みながら、英雄は溢れる涙を止めることができなくなった。

先ほど見たアルバムの写真の記憶と重なって、美雪と二人で過ごした日々が、押し寄せる波のようによみがえってくる。

それは、忘れようと努力して固く封印していた過去の記憶だった。

分厚い壁の向こうに封じ込められていた過去の思い出は、小さな亀裂から溢れ出すや、もはや止めることができない勢いで英雄の元へと流れ込んできた。

英雄は、その場にうずくまったまま動けなくなってしまった。


一つひとつの記憶が、どれもみな英雄の宝物だった。

結婚をして、子どもが生まれて、彼らを幸せにしなければと歯を食いしばって、必死で働いているときにはひとつとして思い出すことがなかった宝物がそこにはたくさんあった。

英雄は、同じ形をしたもうひとつの封筒に目を向けた。

同じ日に、美雪が英雄に書いてきた手紙だ。

正直、その内容は覚えていない。

ただ、涙を堪《こら》えながら、でも堪えきれずに言葉を詰まらせながら、手紙を読む美雪の横顔は今でもはっきりと覚えている。

たまらなく愛おしかった。絶対に幸せにすると誓った瞬間だった。

英雄は、その手紙にゆっくりと手を伸ばした。

便箋を開いて、一文字一文字を慈しむように読んだ。

十八年前の、美雪の思いを、気持ちを、二人の間にあった絆を思い出しながら、ゆっくりと時間をかけて……。

けれども、今再び目にする美雪の言葉に、英雄は後頭部を打たれたような衝撃を覚えた。

自分は美雪のことを幸せにすると言いながら、本当は美雪の幸せのことなんか全く考えていなかったんじゃないか……。

美雪がしてほしいと思っていたこと、美雪が求めていた幸せではなく、美雪はこうしてほしいだろうと英雄が考えたこと、美雪はこういう家族にしたいんだろうと英雄が思っていた家族、そして、美雪はこうなったら幸せだろうと英雄が想像していた幸せを与えようと必死だっただけじゃないか……。

そう、すべては、美雪が望んだものではなく、英雄の独りよがりだったのかもしれない。そうとしか思えなくなっていた。

本当は、美雪はそれらのすべてを望んでいなかったのかもしれないのだ。

手紙を読み込みながら、心がえぐられるような痛みを感じた。

「結局、俺は、最初からずっと自分勝手だった」

止まることを知らないように流れ続けた涙も、ほとんどすべての思いが溢れ出たところで、落ち着きを取り戻す。

四十半ばのおっさんが、ワンルームでひとり、手紙や写真を抱えながら涙を流し続けているという、今の状況を俯瞰する冷静な目が戻ってきて、思わず笑いがこみ上げてきた。

今度はその笑いを止めることができないくらい、自分のことがおかしくなる。

「俺は、バカだ」

そう思う。そう思うと、さらに笑えてくる。

笑いすぎて、涙も出てきた。

先ほどの感情も、まだ完全に引いたわけではない。

英雄は自分でもよくわからない感情のうねりの中で、泣きながら笑っていた。

「本当に大バカだ。どうせバカだ。もっとバカになっても、たいして変わりはないだろう」

＊＊＊

「亜利紗、ケーキ取りに行ける？」

美雪は、一階の階段口から二階に向かって大きな声をあげた。

「無理」

素っ気ない返事が返ってくる。

「お願い。ママが行ったら、食事が遅くなっちゃうから」

「別に遅くなってもいいよ。今、手が離せない」

亜利紗はクリスマスプレゼントに買ってもらったスマホをずっといじっている。周りの友だちはみんなスマホを使っているのに、「そんなものは、百害あって一利なし」と言い続けてきた母親の美雪の言葉で、持たせてもらえなかった亜利紗にとって、夢にまで見た至福の時間なのだ。

美雪にもそれはよくわかる。

「入試前だっていうのに、さっそく百害のうちの二、三害が出てるじゃないの」

独り言のように、美雪はぶつくさ言いながらリビングへと戻った。

「お母さん。ちょっとケーキ取ってくるから、ひとりでやっててくれる？」

美雪は、唐揚げを揚げている佳子《よしこ》に向かって言った。

「いいわよ。すぐ戻るの？」

「うん。DVDを返して、予約していたケーキを取ってくるだけだから」

「あら、わざわざ予約したの？　ケーキ」

佳子はあきれた顔をした。

「せっかくのクリスマスだもん」

美雪も、母親の佳子の前ではいつまでも女学生のような話し方になる。

「雪が降ってるみたいだから、気をつけてね」

「わかった」

そう言うが早いか、美雪は白いロングコートを手にして玄関に向かった。

下駄箱から、ちょっとおしゃれな長靴と新調したばかりの傘を出す。雨の日はただでさえ気持ちが沈みがちになる。多少値は張るが、お気に入りの雨具を買えば悪天候も楽しみになるので、昔から雨具はこだわりを持って選ぶようにしている。

玄関を出ると、一面雪景色だった。

昨日の夜から降り始めた雪は、日中、一度は上がっていたが、日が暮れてからまた降り始めて、町を真っ白に変えていた。

「ホワイトクリスマス……か」

美雪はつぶやくと、傘を差して玄関の外にある門を開けた。

美雪の家は丘を開発して造った住宅地のいちばん高台に位置している。アップダウンが激しい地域だけに、自転車を使うことは滅多にない。

長靴のグリップ具合を確認しながら、美雪は駅へと向かう坂道を慎重に下り始めた。

駅前のレンタルビデオショップに着いて傘をたたもうとすると、傘の上にはうっすらと雪が積もっていた。

「一晩降ったら、結構積もりそう」

そう思って先を急ごうとしたが、DVDは延滞したので、延滞料金を支払わなければならない。

美雪がカウンターに行くと、店員は美雪の幼馴染みだった。

「あれ、イブなのにパート？」

美雪が声をかけた。高橋瑞恵《たかはしみずえ》は苦笑いをした。

「イブも、へったくれもないわよ。息子は合宿で帰ってこないし、旦那は夜勤だから。クリスマスだからって何かをやったのは、息子が小学校を卒業するまでね」

「そうなるよね」

そう言いながら、美雪はDVDを瑞恵に手渡した。

「延滞したの？」

そう言いながら、瑞恵はレジのバーコード・スキャナーで、ケースのバーコードを読み取った。

「美雪、これ買ったほうが早いんじゃないの？　履歴を見ると、同じ映画三回目でしょ。

しかも、今回、美雪が借りる前、誰が借りたと思う？　美雪だから」

美雪は、照れを隠すように笑った。

「娘にも言われた。また観てるの？って。でも、買うってほどじゃないんだよね」

「何がそんなにいいの？」

美雪は小銭を出しながら言った。

「ラストシーンかな。何かの拍子に、また見たいって思っちゃうんだよね」

美雪は小銭を瑞恵に手渡した。

「何か借りてく？」

美雪は首を振った。

「これから、ケーキ受け取ってすぐ帰らなきゃいけないから」

「なに、ちゃっかりやるんじゃん。クリスマスパーティ」

「まあね……」

他愛のない話をしながら、特に別れの挨拶などなしで店をあとにする。

ケーキ屋は、すぐ近くだ。

店の中は予約をした客でごった返してはいたが、ほとんどが名前を言って、すでに作ってあるケーキを渡されて会計をしたらおしまいなので、美雪も、比較的早めに受け取ることができた。

「足元、滑りやすくなっておりますから、お気をつけくださいませ」

という店員の優しい言葉に思わず笑みがこぼれた。


家へと続く坂道を、約五十メートルおきに並んだ街灯が照らしている。遠くから坂を下ってくる男がひとりいる以外は人の気配もない。街灯に照らされた部分にだけ、降りしきる雪が現れては消える。町中の音が雪に吸いこまれて、クリスマスイブの住宅地は、穏やかな静寂に包まれていた。

美雪は、坂道を少し上って振り返り、町を一望する。

雪に包まれた町の景色が美雪はたまらなく好きだ。自分の名前が、美雪だということもあり、子どもの頃から、雪が降る日は何か自分にとって特別な日のような気がしていた。

先ほどは坂の上のほうに見えた男の影は、途中の角で曲がることなく、まっすぐ坂道を下ってくる。雪が降っているのに傘を差していないが、帽子を被っているから、顔はよく見えない。

よく見えないのだが、美雪はなんとなく胸騒ぎを感じた。

「誰か、知ってる人?」

最初は、近所の人かと思ったが、どんどん近づいてくるその人の歩き方、雰囲気に、美雪の無意識の部分が強く反応している。誰かはわからないにもかかわらず、胸がどんどん苦しくなっていく。

二本先の街灯の下をその人が通過したとき、男の出立ちがはっきりと見てとれた。上から下まで真っ白なスーツにハットを被って、手にはアルミのアタッシュケース。変質者ではなさそうだが、街灯に照らし出されても、帽子のひさしの影となって顔はよく見えない。

しかし男のほうからは、坂を上ってくる美雪の顔が見えたに違いない。一度立ち止まり、こちらを見たかと思うと、またすぐに歩き出し、こちらに向かってきた。

ちょうど街灯の下を通過したばかりだったので、逆光となって美雪のほうからは、まだ相手の顔は見えなかった。でも、美雪には自分の胸の高鳴りが何を意味するのか、わかっていた。

あの歩き方、あの仕草、あの雰囲気……。

「あの人だ」

美雪の身体は緊張でこわばり、鼓動が激しくなっていく。でも、歩みを止めずに前に進んだ。

「なんでここに？　しかも、あんな格好で？」

いったいどんな顔で会えばいいのだろう。美雪は混乱し、頭が真っ白になった。

やがて二人は、坂道の途中にある街灯の真下でどちらからともなく立ち止まり、向かい合った。

「こんばんは」

英雄が声をかけた。

「……」

美雪は、他人行儀な英雄の挨拶に、どう返していいのかわからず黙っていた。足を止めたはいいが、どうしていいかわからず、自分の長靴を見つめた。

「私、こういう者です」

英雄がそう言いながら、何かを差し出した。美雪がゆっくりと視線を英雄の手元に移すと、英雄の右手には名刺があって、そこには、「株式会社タイムカプセル社　新井英雄」と書いてあった。

美雪は、その名刺を受け取らずに、小声で言った。

「知ってるわよ。仕事始めたんだ……」

英雄は、少し微笑んで軽くうなずくと、受け取ってもらえなかった名刺を引っ込めて、話を続けた。

「私どもは、何年も前に自分宛に書かれた手紙を一定期間お預かりして、指定された未来にそれをご本人に届ける仕事をしています。今日は今から十八年前に書かれたこの手紙をお持ちしました」

英雄はそう言うと、アルミのブリーフケースを開いて、中から一通の手紙を取り出した。

それを、美雪のほうに差し出しながら、美雪の顔をのぞき込んだ。

「それは……」

美雪は、恐る恐る手を伸ばして手紙を手にした。

「これは……」

「あなたが、十八年前に僕に書いてくれた手紙です」

美雪は自分の結婚式を思い出した。これまで何年も思い出すことはなかったが、たしかにこれは、結婚式の前夜に自分が英雄に向けて書いた手紙だ。ギリギリまで続いた慌ただしい結婚式の準備のなかで、どうしてもちゃんと今の自分の気持ちを書いておこうと、ほとんど寝ずに何度も推敲を重ねながら書いた、あの日の記憶がよみがえってくる。

「どうして、こんなものを……今さら」

美雪の口からは、懐かしさとは裏腹な、英雄を責めるような言葉が出てしまう。

「僕は、何もかも失って、新しい人生のスタートを切ってみて、初めてわかりました。どうしてあなたが僕の元を去ったのかを。それに気づかせてくれたのが、その手紙です」

美雪はため息をついた。

「どうわかったっていうの？」

「僕はあなたを幸せにしようと思って頑張っていました。亜利紗を幸せにしようと思って頑張っていました。そのために、我慢をさせることもあったたし、寂しい思いをさせることもあるだろうけど、それは、僕が二人を幸せにしようと頑張っている証だから、わかってもらえているって思っていました。

年々、笑顔が少なくなっていったことも、会話がなくなっていったことも、家庭を顧みずに仕事ばかりしていたことも、すべて、二人を幸せにするためにやっていることだから、わかってくれるはずだって思い込んでいました。

でも、あなたは、出て行ってしまいました。僕ははじめ、自分の愛は伝わっていなかったんだと思いました。自分が、二人を幸せにするために人生を懸けて与え続けてきたものは、受け取ってもらえなかったと思いました。

でも、そうじゃありませんでした。それらは、全部、あなたや亜利紗が望んだものではありませんでした。僕が勝手に、これがあれば幸せだろうって思い込んで、一方的に与え続けていたものでした。

あなたは、最初から、ほしいものを言ってくれていたのに、何が手に入れば幸せかを、教えてくれていたのに、僕は、それには耳を傾けず、全く別のものばかりを与え続けるのが男としてかっこいいと思い込んで、かっこつけていました。本当に、申し訳なかったと思います。そのことに……今日、ようやく気づいたんです」

英雄の肩には雪が積もっている。

二人の間にも街灯に照らされた雪がハラハラと舞い降りていた。

「私がほしかったものって?」

美雪は潤んだ瞳で、英雄に聞いた。

「人生のパートナーです」

英雄はうつむき加減で言った。

「僕は、あなたに何不自由ない暮らしを与えようとしました。何の心配もない毎日を。でもあなたは、守ってほしいなんて思っていなかった。むしろ、日々やってくる人生の壁を一緒に乗り越えたいと思っていた。何の心配もない毎日ではなく、一緒に心配して、一緒に明るい未来をつくっていく、そんなパートナーを求めていた。幸せにしてくれると意気込む相手ではなく、自分の責任で幸せになるから、それよりも一緒に乗り越えてくれる人を求めていた。

僕がひとりで背負って、家族の心の距離が離れていくことよりも、家族みんなで背負って、みんなの心が寄り添っている、そんな家族をつくりたいと、結婚してずっと思っていた。いや、結婚する前から、本当はそう思っていたんです。

でも僕は、男のけじめとしてとか、一人前になってからとか、会社が軌道に乗らないと結婚できないって、かっこばかりつけていた。そのことが、その手紙を読んでよくわかりました。今になってようやくです。

きっと、あなたが僕と出会ってから、ずっと僕に伝え続けても届かなかった心の声がそこにあるんだと思います」

美雪の目からは涙が溢れて止まらなくなっていた。

英雄の目にも涙が浮かんでいた。

「そんなことにも、気づかないでずっと、寂しい思いをさせていたんだと思うと……」

英雄は言葉に詰まった。

それ以上続けると、嗚咽で言葉にならないような気がして押し黙ってしまったが、続きを言わなければいけない。できるだろうか。英雄は呼吸を整えると、絞り出すように短く言った。

「ごめんね」

英雄は鼻をすすり、天を仰ぎながら大きく深呼吸すると、先ほど受け取ってもらえなかった名刺をもう一度差し出した。

「今、僕はこの会社で働いています。もし、もし、あなたが、その手紙を読んで、それを書いたときの気持ちが少しでも残っていると感じたのなら、もう一度二人で、いや、三人でもう一度、どこかで食事をしませんか。僕は、人生は何度でもやり直せるって思っています。だから、その気になったらでいいから、そこに連絡をください」

美雪は、二十秒ほど英雄の震える指先を見つめていたが、それまでのさまざまな思いを振り払うように大きく息を吐き出すと、その名刺を受け取った。

英雄は笑顔を向けて、

「ありがとう」

と言いながら、帽子を取ってお辞儀をした。

その様子に、美雪は涙をぬぐいながら思わず吹きだした。

「何がおかしいの?」

「だって、あなた……」

美雪の視線は英雄の頭に向けられている。

「ずっと帽子被ってたから、帽子の跡がついてて、髪形がダース・ベイダーみたいになってるんだもん」

英雄は苦笑いをしながら、恥ずかしそうに帽子を被った。

「髪についた帽子の跡で笑われるなんて、あの映画のラストシーンみたいだな……」

英雄は、美雪に聞こえないほど小さな声でつぶやいた。

「『ハルカとヨウスケ』！」

という映画のタイトルが喉まで出かかったが、美雪は堪えた。

さっきまで見ていて、今そのＤＶＤを返しに行ったなんて、とても恥ずかしくて言えない。

美雪は笑みを浮かべながら、鼻をすすった。

「それから……」

英雄はもう一度ブリーフケースを開けると、中からラッピングされた細長い箱を取り出した。

「これは、もし迷惑でなければ亜利紗に。サンタが来たと……」

今度は、先ほどよりもあっさりと、美雪が受け取ってくれた。

英雄はもう一度、降りしきる雪の向こうにいる美雪の顔を見つめた。

美雪も、英雄の目を見ていた。

「それじゃあ、これで失礼します。メリー・クリスマス」

そう言うと、英雄は、美雪の横を通り過ぎて、坂を下り始めた。

「待って!」

美雪の声に英雄が振り返ると、相変わらず硬い表情のままの美雪が傘を差し出していた。

「私、もうすぐそこだから」

そう言って、ふわっと投げるように傘を手放した。英雄は思わず柄の部分をつかんだ。

「でも……」

英雄がそう言ったときには、美雪はすでに踵を返して、坂を上り始めていた。

英雄はそこに立ち尽くしたまま、遠ざかる美雪の背中を見送った。

美雪は歩きながら、小さな声で言った。

「私のほうこそ、ごめんね。メリー・クリスマス、英ちゃん」

「ただいま」

「おかえり。すぐ戻るって言ってたのに、ずいぶん遅かったじゃないの」

母の佳子が料理の手を休めずに、美雪に声をかけた。

「うん、ちょっとね」

そのとき、佳子は初めて美雪のほうを見て、「まあ」と大げさな声をあげた。

「雪が降ってるって教えてあげたのに、傘を持っていかなかったの？　鼻まで真っ赤じゃない」

「いや、持っていったんだけど、ケーキ屋に忘れてきちゃった」

佳子があきれた表情で首を振った。

「あなた、ぼーっとするにもほどがあるわよ。雪が降っているのに傘を忘れてくるなんて」

美雪は苦笑いをした。とても佳子には、英雄に会ったことや、そこで話したことなど説明できそうにない。

「ごめんね、母さん。ちょっと待ってて。着替えてくる」

そう言うと、美雪は自分の寝室に入って扉を閉めた。

コートのポケットから手紙を抜き取ると、それをまじまじと見つめた。

部屋の角に置いてある、美雪が高校時代から使っているライティング・テーブルを開けた。

まさにここで、この手紙を書いた。その日のことが昨日のことのように思い出される。英雄に言われたとおり、美雪はつき合っているときに感じた孤独を、できる限り相手を傷つけないように手紙にしたためようとした。もちろん非難などするつもりはない。それが英雄の優しさだということが、美雪にもわかっていたから。

ただ、英雄が自分のことを苦労させないで済む状態になるまで待つというのは、美雪にとっては孤独な日々だった。一緒にいても寂しかった。

美雪は、封筒を開けた。

読む前から、懐かしさに涙が出た。

英ちゃん
つき合い始めてから、今日まで
振り返ってみると、あっという間だったよね。
二人でいろんなところに行って
いっぱいケンカもして、たくさんの思い出を作ってきたね。

この八年間の、私の思い出すべてに
英ちゃんがいるよ。
私は、それがとっても幸せです。

英ちゃんは、とても優しい彼氏でした。
いつも私を守ってくれて
男気に溢れていて、責任感も強くて。
そういうところ、彼氏として大好きでした。

そして、今日から
彼氏じゃなく、英ちゃんは『夫』になります。

私には子どもの頃から夢がありました。
それは、大好きな人と結婚して
その人と一緒に、人生を素晴らしいものにしていくこと。
ありきたりだけど

嬉しいときも、悲しいときも、悔しいときも、苦しいときも、楽しいときも
いつも一緒に、それらを分かち合いたい。

嬉しいときや、楽しいときは、一緒に笑って、
悲しいときは一緒に泣いて、
悔しいときや、苦しいときは、一緒に悩んで
壁が来たら一緒に乗り越えて……
そうやって一緒に、壁を乗り越えて幸せになっていきたい。
そんな夢。

そうすれば
きっと、苦しい壁がやってきても
二人でいい思い出に変えられると思うんだ。

その夢を英ちゃんと二人で、実現していきたいと思っています。

英ちゃん。
英ちゃんは、ひとりで背負いすぎてしまうところがあるから、
これからは、二人で一緒に人生にやってくる壁を乗り越えていこうね。
そんな夫婦になるのが、私の願う幸せです。

これから、末永く
よろしくね。

美雪

美雪はポロポロと涙を流し続けた。

自分でも、どうしてそんなに涙がこぼれるのかよくわからない。懐かしさでも、悲しさや悔しさでもなければ、嬉しさでもない。自分でもよくわからないまま、溢れる涙は激しさを増した。

「ママ?」

美雪が鼻をすする音に気づいたのか、部屋の外で亜利紗が美雪を呼んだ。美雪は慌てて、涙をぬぐい、鼻をすすると、無理矢理笑顔をつくった。

「なあに？」

「どうかした？」

亜利紗は恐る恐る部屋の扉を開けた。

「何でもないよ」

美雪は首を横に振っている。無理矢理笑顔をつくってはいるが、その様子から明らかに泣いていたということがわかる。

「でも……」

「心配しないで。大丈夫だから」

「……」

心配しないでと言うのは、本当は心配しなければならないときじゃないかと亜利紗は思う。でも、亜利紗には、どうしたらいいのかよくわからなかった。その雰囲気を感じ取った美雪は、無理矢理つくった笑顔を亜利紗に向けた。

「さっきね、サンタに会ったの」

「サンタ？」

亜利紗の声が裏返った。

「サンタなんて……」

「そう。もう、ここ何年も来てないわよね。だから、ママも驚いたけど。今年はうちに来てくれたんだって。この雪の中、傘も差さずにプレゼント持ってくるなんてたいへんだなぁって思って、私の傘あげちゃった」

亜利紗は、突然始まった美雪のサンタの話に、どう反応したらいいのか戸惑ったが、

「これ、サンタがあなたにって……」

そう言って差し出された小さな箱を見て、美雪がどうして泣いていたのか、サンタが来たというのは何を意味するのか、瞬間的に理解した。

「パパが来たの？」

という言葉が出かかったが、その言葉を呑み込んだ。

「サンタが……私に？」

そう言って箱を受け取った。

美雪は小さくうなずいた。亜利紗は、その包装紙を丁寧にはがし始めた。

中から出てきたのは、細長い透明なケースに入った腕時計だった。

「時計だ！　しかもかわいい」

中身が時計だと知った美雪は、英雄の昔話を思い出した。高校受験のとき、時計を忘れて行ってたいへんな思いをした、その話を、つき合い始めの頃、何度も聞かされたものだ

った。

中学時代は腕時計をする習慣もないし、教室の左前には大きな時計があったから、学校に時計を自分で持っていかなければならないなんて思っていなかったらしいが、いざ試験会場の高校に行ってみると、教室に時計がなかった。まあ、結果合格したので笑い話になっているが……。

英雄なりに娘の受験のことを気にかけているのだろう。でも、親として今してやれることは、時計を贈るくらいのことしかない。そう考えたのだろう。

亜利紗は、早速時計を箱から出して、左手に付けてみている。

「どう？　似合う？」

美雪は何度もうなずいた。

「携帯買ってもらったから、時計なんていらないって思ってたけど、よく考えてみたら試験会場には携帯持っては入れないもんね」

亜利紗は英雄の思いを受け取ったかのようなことを言った。

「そうね」

美雪は小さく返した。

「さあ、ママは着替えたらすぐ下りていくから、先に下りて、おばあちゃんの手伝いをしてきて。ケーキも買ってあるわよ」

「うん。これ、ばあちゃんに見せてくる」

亜利紗はそう言うと部屋を出ていった。

美雪はポケットから英雄の名刺を取り出すと、しばらく、それをまじまじと見つめていた。それから、その名刺と手紙を封筒の中に入れて、ライティング・テーブルの上に置き、美雪も部屋をあとにした。

再スタート

「おはようございます」

英雄は、元気に挨拶しながら、事務所に入った。そこには、二週間前に初めて出勤したときと同じように、麗子と海人がいた。

「おはようございます、新井さん。クリスマスイブはどうでしたか？」

海人が尋ねた。英雄は照れくさそうに頭をかいた。

「いやぁ、久しぶりにサンタになりました」

「ほお、それは、それは」

海人はその言葉が意味するものを瞬時に悟った。

「勇気を出しましたね」

「はい、十日ほど前、原宿で手紙を届けた重田さん。覚えていますか？　あの娘さんの言葉が、なんだか自分の娘に言われているような気がしまして。それから自分はバカだったなあって、つくづく思うようになったんです。でも、どうせバカなら、もっとバカなことをしてもいいだろうって開き直って……」

「開き直るって大事ですよね」

海人は合いの手を入れた。

「ちょっと、ちょっと。待ってくださいよ。何か二人だけわかるような会話が続いてて、私にはさっぱりわからないんですけど」

麗子が不満そうに言った。

「そのうち、わかりますよ」

海人が麗子をなだめた。

「で？　バカになって、どうしたんですか？」

英雄は力なく微笑んだ。

「それが、意気込んで妻の実家まで行ったはいいんですが、家の前で、ふと冷静になってしまって……意気地がないですよね。勇気があるなんて言われると恥ずかしくなります。勇気を振り絞ろうとしたんですが、雪の中、家の中から漏れる灯りを見ていると、とても幸せそうで、この中に自分の居場所なんてないと感じて……、むしろ、自分が現れることで、この幸せが壊れてしまうような気がしてしまいました」

「え、じゃあまさか……」

「結局、私はそこで引き返してしまいました」

「ええ！……」

海人は大げさに頭を抱えた。麗子もなんとなく話の大筋が見えてきたようで、眉をひそめた。

「でも……駅へと向かう坂を下っていると、前から歩いて来るんですよ」

「おお！　来た！　まさか」

「ええ、そのまさかでした。妻でした」

「じゃあ、ハッピーエンド？」

英雄は苦笑いをした。

「わかりません。でも、一度食事をしようと伝えました」

三人の間にしばしの沈黙が生まれた。

「それより、室長のほうはどうだったんですか？　行かれたんですよね、大阪」

「え？」

麗子が面食らった表情で、海人のほうを見た。

「シー！　ダメだって、それ」

海人は慌てて英雄に向かって言ったが、箝口令《かんこうれい》をしくには遅かった。

「何それ？」

「いや、ちょっとかわいい娘と仲よくなって……会いたいって言うから」

麗子はあきれた顔をした。

「別に休みの日に何をしようと自由だけど、移動が多い仕事だから、休みの日くらい移動しないで身体を休めておかないとダメよ。その様子じゃあ、休みごとに大阪に行きかねないわね」

「いや、それが、彼女のほうが東京に出てくる決心をしたみたいなんで……」

「そうなんですか？」

英雄が間に入った。

「はい。東京でメイクの勉強をするために下積みから修業するらしいです」

「なにか、皆さん、次から次へと新しい人生のスタートを切ってるって感じですね」

英雄は感慨深げに言った。

麗子は両手を腰に当てて、海人と英雄、二人を交互に見た。

「そろそろ、次の仕事の話をしてもよろしいでしょうか」

海人と英雄は顔を見合わせると、軽くうなずいて麗子のほうに向き直った。

「今日は、東京のある私立高校の卒業記念に、十二年後、つまり三十歳の自分に宛てて書いた手紙です。毎年卒業記念としてタイムカプセルを作っているのですが、学校が廃校になってしまい、すべてをうちで請け負うことになりました」

「そういえば、去年もありましたね」

海人が言うと、麗子はうなずいた。

「二週間で海人くんには四通、新井さんには三通配ってもらいます」

「私は、三通でいいんですか？」

英雄は恐る恐る聞いた。

「これから年末年始になりますから、移動に時間がかかったり、チケットが取りにくかったりいつも以上にたいへんで、時間がかかると思いますから……」

英雄はゴクリとつばを飲んだ。

たしかに、車で移動するにしても、新幹線にしても、飛行機にしてもチケットを取るのは一苦労だ。この前みたいに海外ということになると、なおのこと難しいだろう。

「はい、これがリスト」

そう言って麗子は、海人と英雄に別の紙を渡した。

英雄はその紙を見つめた。

一件目の配達先は小豆島、二件目が名古屋、三件目は大連になっている。

やはり海外が一件入っている。緊張が走る。

「まずは目の前の一件からだ。でも小豆島ってどうやって行けばいいんだ。島って結構、時間がかかりそうだ……」

そんなことを考えていると、ふとあることが気になった。

その瞬間、海人に肩を叩かれて、英雄は我に返った。

「行きましょう」

「あ、はい」

「ちょっと待って」

二人は麗子に呼び止められて、足を止めた。

「今朝、二人宛に手紙が届いたわ。北海道の本田桜さん。配達者リストにあった森川桜さんのことね」

海人が引き返し、麗子からそれを受け取ると、もう一度、「行きましょう」と言って、事務所を出た。

エレベーターの表示を見るかぎりでは、エレベーターが来るのにはまだ時間がかかりそうだ。

「新井さん、一件目はどこですか?」

「私は、小豆島です。室長は?」

「僕は、石川県の小松市です。新井さん、飛行機、使いますか?」

「そうですね。岡山か高松行きの飛行機に乗れればと思うんですが。いったん空港に行ってみて、空席がなさそうなら、新幹線に切り替えます」

「じゃあ、空港まで車で一緒に行きましょう」

到着したエレベーターに乗り込むと、エレベーターのボタンの前に立っている海人の背中に、英雄が声をかけた。

「室長……奄美大島ってどれくらい時間がかかるんですか」

海人は、その問いには答えず、肩を震わせている。どうやら笑いを堪えているようだ。

そして、エレベーターが地下の駐車場に到着して、扉が開いたとき、

「あそこの焼き肉屋、最高においしいですね」

とだけ言って、ツカツカ歩き出した。英雄は慌てて海人のあとを追う。

二人の靴音が、地下の駐車場に響き渡る。

やがて、車に乗り込み、扉を閉めると、音は一切反響しなくなり、まるで空気の流れまで止まった異空間に閉じ込められたような感じになる。

「新井さん、気づくの遅すぎますよ。土曜日に事務所に書類を戻しに来たときに僕がいた時点で気づかないと」

海人はケタケタ笑った。

「まったくです。あのときは何も考えていませんでした。でも、今、小豆島に行って帰っ

てきたら、どれだけ時間がかかるんだって考えたときに、金曜日にも事務所で会った室長が、奄美大島に行って帰ってきて、あの時間に事務所にいるなんて無理だってようやく気づきました」

「最終試験です」

「試験？」

英雄は眉をひそめた。

「はい。新井さんひとりで、依頼人に手紙を届けてもらって、うちの会社の特配としてふさわしい人かどうかを確認する試験でした」

「ってことは、室長もあの店にいたんですか？」

「ええ。様子を見させてもらいました。それを見てください」

海人は後部座席のボストンバッグを指さした。英雄は言われるままに振り返り、そのバッグを手元に引き寄せた。中からは、カツラと付けひげ、メガネと帽子が出てきた。

「これは……」

英雄はなかなか事態を飲み込めない。

「いやぁ、新井さん。熱かったなぁ。『現実に行き詰まったからこそ、理想を追うチャンス』とか、『人生、一寸先は闇だけど、その先に光がある』とか……本当に感動しましたよ」

「え？　じゃあ、あの波田山一樹さんは……」

「僕は、笑いを堪えるのが必死だったんですよ。あれだけじっと見つめられたのに、全く気づかないんですから」

「ええ⁉　あれ室長だったんですか？　ってことは、波田山一樹さんなんて、存在しないってこと？」

海人は首を振った。

「波田山一樹さんは存在します。新井さんがうちに来る前に僕が自分で配達をしました。だから、あの話はまるっきり僕の作り話ではなく、波田山さんの人生そのものです」

「でも、手紙は……前の日に私が預かって」

「あれは、白紙です。封を開ける直前に僕がすり替えて、本物の波田山さんからもらったコピーを読んだんです。気づかなかったでしょ」

「そんな……まさか、室長が変装しているなんて考えもせず、ただただ必死だったものですから」

「いや、お世辞抜きで、素晴らしかったですよ。聞いてて胸が熱くなりました」

英雄は恥ずかしさで顔が赤くなるのを感じた。

「新井さんの言葉を聞きながら、僕も本当に思いました。誰の人生も、一寸先は闇なんだろうなあって。でも必ずその闇の先に光はある。その光に向かって歩いて行った先に、新しい人生は待っているんだろうなぁって。そして、そのたびに人間は新しい人生のはじまりを迎えることができるんだって」

英雄はうなずいた。

「そうですね」

「そう考えると、闇も悪くないですね。なんて言うんでしょう、生まれる前のお腹の中みたいな感じで」

「生まれる前のお腹の中か……たしかに闇の中かもしれませんね。でも……うん、悪くない」

英雄は感心して答える。

海人は、先ほど麗子から受け取った手紙を内ポケットから取り出した。

「たぶん、これもひとつの闇の向こうに生まれた光について書かれていると思いますよ」

そう言って、手紙を英雄に手渡し、車のエンジンをかけた。

動き始めた車の助手席で英雄は封を開けた。

「読みましょうか？」

英雄は海人に声をかけた。

「お願いします」

海人はそう言って車を出した。タイヤが地下の駐車場の床との摩擦でキュルキュルとなる音が響いている。

車は地下から表に出た。昨日までの雪とはうって変わって、冬の青空が広がっていた。積もった雪があらゆるところで解け出して、水のしずくを垂らしている。通りにすでに雪はなく、茶色く濁ったみぞれ状の残雪が、走る車を汚していた。

吉川海人さま・新井英雄さま
先日は、ありがとうございました。
おかげさまで車も直り、これから迎える本格的な冬を前に、あのタイミングで故障してくれてよかったんじゃないかって思うようにもなりました。
お二人が現れるまでの私は、どこかで私なんかが幸せになっちゃいけないと、心に決めているところがあって、ちょっとでもいいことがあると、それを喜ぶ自分にブレーキをかけるように、『ダメだ、ダメだ』って言い聞かせていました。

そんな性格の人と一緒にいるのは本当にやっかいだし苦痛だと思いますが、私はそう考えるのをやめることができないし、それによって夫に迷惑もかけていたので、そんな自分がますます許せないで、嫌いになっていきました。


でも、お二人と出会ってから、少しずつでもいいから、考えを変えていこうと思うようになれました。そして、吉川さんに教えてもらったとおり、今ではなく、ここではないどこかに心が動いてしまうたびに、「ダメだ、ダメだ、今、ここに集中！」って自分に言い聞かせるようになりました。何度も、何度も今、ここから外れちゃうんですけど、そのたびに、「今。ここに戻ってこなきゃ」ってやってるうちに、確かに少しずつですけど、明るく振る舞える時間が増えていった気がしました。

そして昨日、私の人生をひっくり返すような、素晴らしい出来事がありました。

実は、お腹の中に命を授かりました。

妊娠したんです。

ひとつの命が生まれる可能性について、昔、本で読んだことがあります。

何百億、何千億分の一の確率で、ひとりの命は誕生するんだそうです。

つまり、過去の私の選んできた道が、ひとつでも違えば、ちょっとでも違う道を歩んできていたら、この子は授からなかったということです。子どもは授かったかもしれないけど、この子ではなかった。

そう考えると、私がそれまでしてきた一つひとつの行動や決断は、すべて、それでよかったんだ。いやむしろ、そうじゃなければ、この子には出会えなかったんだということに気づきました。

そうして、私は、今日までの自分の過去のすべてを肯定することができました。

いいことも、悪いことも、つらいことも、苦しいことも、嬉しいことも

自分がしてきたすべての経験に、心から「ありがとう」と思えたんです。

すべて、これでよかったんだ。

いや、すべてがこれでなくてはならなかったんだと心から思えました。

自分でも、こんな気持ちになるなんて思ってもみませんでした。

心の中には雲ひとつなく、青空が広がっていて、心地よい風が吹いている。

ああ、世界は美しい。そんなふうに思える。

私の人生の中で、こんな気持ちを味わえる日がくるなんて考えもしてなかった。

それも、これもすべてみんな、この子が教えてくれました。

吉川さんは

「そんな日が来たら、僕に教えてくれませんか」

って言ってくれました。

私はあのとき、正直そんな日が来るとは思えませんでした。

でも、そうなったらどんなにいいだろうって心の中で思っていました。

まさか、こんなにも早く、しかも一瞬にして、過去のすべての自分の選択を、肯定できる瞬間が来るなんて思ってもみませんでした。

今日までのすべての出来事は、このひとりの子を授かるためにあったと感じています。

夫も同じ気持ちのようです。久しぶりに彼のあんなに弾けるような笑顔を見ました。

これから、この子が無事に生まれるように、自分を大切にしていこうと思っています。

きっとこれからの人生でも、
いいことばかりじゃなく、また少しずつ、心に雲がかかっていくこともあるでしょう。

でも、どんなにつらくても、今、ここに集中していれば
またいつか、それまでの過去の自分のすべてを肯定できるような
素晴らしい出来事が起こるんだと思います。

いいえ、逆かな。
素晴らしい出来事が、人生で起こるたびに
自分の過去を肯定できるようになるのかもしれません。

どっちにしても
今の私は、本当に幸せな気分です。

今日は、

新しい私が生まれた日です。

この気持ちを忘れたくありません。
ですから、この手紙を十五年後に、もう一度私に届けに来てくれませんか？
よろしくお願いいたします。
ちょうど、思春期の子どもの扱いに余裕をなくしている頃でしょうから（笑）。

お二人に会えてよかったです。
十五年後の私が、この手紙を受け取ることで
また、新たに人生をスタートするきっかけになることもちょっとだけ期待しています。

それでは

本田桜

sakuranomori@＿＿＿xxx

若林麗子が海人と英雄が出て行った事務所で、次に特配が扱う手紙の資料作成をしていると、入り口が開いた。

「社長！　おはようございます」

「おはよう」

社長の西山だった。

「どうされたんですか？　急に？」

「新しく入った新井さんはどうかなと思って、様子を見にね。ちょっと遅かったかな」

麗子は微笑んだ。

「海人くんの話だと、すごくいいみたいですよ。人柄、経験、知識や話の内容、それから性格に至るまで、この仕事にこれだけぴったりの人も珍しい……とのことです」

「そう、それはよかった」

西山は満足そうに微笑んだ。

「それにしても、社長。普段は採用にあたってあれだけ慎重に面接をして、結局なかなか採らないのに、新井さんは見た瞬間に採用でしたよね。どうして、この仕事に向いているってわかったんですか？」

「ん？……名前かな？」

「名前……ですか？」

「だって、新井英雄、New Heroだよ。名刺をもらった人は、人生を変える転機にふさわしい縁起のいい名前だって思うじゃない？」

「なるほど……」

麗子は危うく納得しそうになる。

「って……それだけでは、決められないでしょう？」

西山はいたずらっぽく微笑んだ。

「まあね」

西山が『まあね』と言ったときは、それ以上の話が聞けないときだと知っている。麗子はおとなしく引き下がった。

「何はともあれ、海人くんといいコンビですよ」

西山は満足そうにうなずいた。

「彼は、我が社にとっても、New Heroになってくれるかもしれないね」

「はい、そうですね」

麗子も笑顔で答えた。

エピローグ　十年後@表参道

新郎新婦は、牧師の合図で振り返ると、参列者のほうを向いた。

全員が立ち上がり、二人に笑顔を向けている。

「二人は神の名の下に、夫婦であることが認められました。ここにいらっしゃる皆さんがその証人です。おめでとうございます」

その声を合図に、大きな拍手がチャペルの中に響き渡った。

泣くまいと決めていた美羽だったが、参列した高校時代の友人が号泣しているのが目に入ると、堪えきれずに涙がこぼれた。

参列者の一人ひとりと目を合わせるように、美羽は前から順に見ていった。どの顔も、笑顔で、精一杯の拍手を送ってくれている。

前のほうは親戚で、後ろのほうに友人がいるはずだが、いちばん後ろの友人からしばらく長椅子は空席になり、遠く離れた最後列に、真っ白いスーツを着た男がひとりたたずんで、みなと同じように拍手をしているのが見えた。

誰だかわからない。人の結婚式で、新郎でもない人が白いスーツを着るなんて非常識かなとは思ったが、新郎の側の友人か誰かだろう。

美羽は、新郎の腕に手を絡め、拍手をシャワーのように浴びながら、参列者の間を歩いてチャペルの外に出た。もう夢心地だ。

そのまま二人は別室に案内され、参列者は教会の外に移動する。フラワーシャワーの準備をしているらしい。準備が整い次第、もう一度二人でみんなの前に現れて、今度は建物の外階段で、再び、彼らの間を歩く。

「ドレス、苦しくない？」

新郎の充《みつる》が、美羽に話しかけた。

「うん。大丈夫」

美羽は笑顔で答えた。なぜだか、先ほどの白いスーツの男性のことが頭に浮かんだ。なぜ気になっているのか、自分でもわからない。

「それでは、準備が整いました。どうぞ」

案内係の人の号令で、扉が開かれた。

外の光がまぶしく、一瞬目がくらむ。

「おめでとう！」

同時に大きな声がして、たくさんの花びらが天空に舞った。

二人はその中を、すれ違う人、一人ひとりと挨拶を交わしながら、一段ずつ階段を下りた。最後まで下りきったところで、階段を使って全員で記念撮影をすることになっている。

美羽は、自分が歩いてきた階段を見上げた。写真撮影のために並び始めた人の中に、先ほどの白いスーツの男性はいなかった。


結婚式というのは、本当に慌ただしい。

一年近くかけて入念な準備をするのに、実際に始まるとあっという間に進んでいく。

何がなんだかよくわからないうちに、式は終わり、すぐに披露宴へと移行する。

始まる前は、「大切な一日だから、よーく記憶に焼き付けておこう」なんて考えていた美羽も、「次、何だっけ?」ということを考えるのに精一杯で、一つひとつのことを目に焼き付けていく暇なんてない。

「それでは披露宴会場にご案内します」

そう言われて、美羽は立ち上がった。この先の流れなんて、何も頭に入っていない。披露宴会場のスタッフに言われるままに動くしかなさそうだ。

充が優しく手を差し延べる。

「ありがとう」

小さくそう言って、美羽は充の手を取った。

披露宴会場の扉の前では、充と美羽、そして、スタッフが二人、扉の内側の様子をうかがいながら、中に入るタイミングが来るのを待っていた。

美羽は、心を落ち着かせるために大きくひとつ深呼吸をした。

ふと、通路の左手に人の気配を感じて、振り向いた。

先ほどチャペルの中で最後列にいた、白いスーツを着た男が、こちらに向かって歩いてくるのが見えた。

「あの人……どこかで」

真っ白いスーツを着た男性が誰かはまだわからなかったが、どこかで同じような格好の人と話をしたことがあるような気がする。

先ほどから引っかかっているのは、どこかで会ったことがある人だからなのか。

美羽は目を凝らした。

一歩ずつ近づいてくるその男性の顔に廊下の窓から差し込む光が当たり、美羽の目にも確認できた。

美羽は驚きと懐かしさに心を鷲づかみにされ、思わず息を呑んだ。

あまりの驚きに、一瞬、声も出ない。

男性はもはや迷うことなく、笑顔を浮かべながら美羽のもとへ一直線に向かって来る。

「そろそろ、入場です」

披露宴会場の入り口に手をかけて、中の様子に耳を澄ましていたスタッフが、振り返って充と美羽に向かって言った。

「ちょっと、待って」

美羽は充の手を離して、その男性のほうに一歩踏み出した。

「え?」

驚いた充も、その男性の存在に気づき、左を見た。

美羽は、男性の笑顔につられるように、笑顔をつくり、次の瞬間、大粒の涙を流した。

「お父さん!」

美羽の声に、充も思わず口を開けた。

「お父さん?」

「それではお待たせしました。新郎新婦の入場です」

会場のアナウンスと同時に、大きな拍手が湧き起こった。

＊＊＊

重田樹は通路の先に立っている花嫁の横顔を見た。

まさか、自分が娘の結婚式に、こんな形で娘の前に現れることになるとは考えもしていなかった。

すべては十年前の十二月に始まったことだ。

樹は、娘の元へ歩みを進めながら、あの日現れた、不思議な白ずくめの二人組のことを思い出していた。

本当にあったことかどうかさえ疑わしい。夢の中の出来事だったと誰かに強く言われればそうだったかもしれないと思えるほど、曖昧な記憶でしかないが、あの日、たしかに原宿で不思議な二人組に出会った。

その証拠として、そのとき渡された手紙が手元にちゃんと残っている。

これは、あれが夢ではなかったという証だ。

樹は記憶の片隅から、十年前の出来事を掘り起こした。

磯川樹へ
十年後の俺。
全く想像がつかない。
何をやっていますか？

立派に学校の先生を続けているのか
それとも、義父の会社で働いているのか
それとも、夢だったツアープロとして活躍しているのか
まあ、その可能性はないか……

たしかに、妻のことも幸せにしたい
美羽のことも幸せにしたい
それが父親としての務めだということもわかっている

でも
昔からの夢を簡単に諦められるような思いで、
今までゴルフをやってきたわけではない。

十年後の俺は
今の俺が悩み、答えが出ないことも
すでに解決してくれていることを
願っている。

重田樹

樹が手紙を閉じているときに、海人が戻ってきた。

「いかがでしたか？」

海人は、樹の目の前に座った。

「どうもこうもないですよ。読んでも読まなくてもよかったようなそんな手紙でした」

樹は鼻で笑った。

「こんなどうでもいい手紙を、必死で配達してくれて申し訳ない気分です」

海人は笑顔を崩さずに言った。

「僕たちにとっては、受け取った手紙を読んで、重田さんがどんな気持ちになるかについては関係ありません。ただ、すごく……残念です」

「まあ、手紙ごときで俺の人生や、俺の悩みが変わるくらいなら、人生、そこまで苦労はないって話ですよ」

樹が投げやりに言った。

海人は厳しい顔をした。

「それは違います」

「昔のあなたが、自分宛に書いた手紙を読んで、感動できなかったのは、単純にその手紙に愛がなかったからです」

「愛？」

樹は、馬鹿にしたような笑みを浮かべながら言った。海人はひるむことなく続けた。

「そうです。愛です。あなたは、十年前、この手紙を書くときに、真剣に書きましたか？十年後の自分を大切に思いながら、思いを込めて手紙を書きましたか？」

「自分を大切に……」

「読む人のことを、心から大切に思って愛を込めて書いた手紙は、読む人の人生を変えます。読む人の悩みを吹き飛ばす勇気をくれます。立ちはだかる壁を打ち砕く強さをくれるんです。あなたは、十年前の自分の手紙を読んで、全く心が動かなかったと言いました。それは、そこに愛がないからです。十年前のあなたが、今のあなたのことを心から大切に思って書いた手紙じゃなかったからです」

海人は、胸のポケットから一通の手紙を取り出した。

「ここに一通の手紙があります。読む人のことを大切に思って、愛を込めて書いた手紙です。あなたに預けます」

テーブルの上に置かれた手紙を樹は見つめた。

「それは……」

「そうです。美羽さんが今書いた手紙です。十年後に届けてほしいそうです。重田さん、あなたに預けます。お代は不要です。あなたが十年後に、彼女に渡してあげてください」

「私がですか？」

樹はためらいがちに身体を引いた。

「そうです。本当は、美羽さんは今のあなたに読んでもらいたくてこの手紙を書いたんだと思います。僕は、あなたにそれを今読んでもらいたいと思っています」

「今？」

樹は苦笑いをした。

「娘が、自分に書いた手紙を、父親が勝手に読むのはちょっと……」

「愛に溢れた手紙を読むのが怖いですか？　娘さんのあなたに対する愛を、家族に対する愛を知るのが怖いですか？　手紙なんて読んでも変わらないなんて言っておきながら、本当は愛に触れるのが怖いだけじゃないんですか？　かっこつけてる場合じゃないですよ。その愛を受け止める勇気もないんですか？　子どもの愛を知って受け止めるのも、父親としての務めじゃないですか？」

海人の鋭いまなざしに圧倒されて、樹は真剣な表情で、テーブルの上の手紙に手を伸ばした。

「読めばいいんでしょ、読めば」

さらに強がりのセリフを続けようとしたが、言葉にならなかった。

封はされていない。樹は、ゆっくりとそれを開けると、便箋を引き抜こうとした。

その手を、海人が止めた。

「ここで読んだら、美羽さんに見られてしまうかもしれません。トイレに行かれることをお勧めします」

樹は、チラッと美羽のテーブルを見た。もうひとりの白ずくめの男となにやら話をしている。

「わかりましたよ。そうします」

立ち上がろうとする樹を、海人が目で制した。

「その前に、これで、私たちは失礼します。くれぐれも十年後に、その手紙を娘さんに渡すのを忘れないでください」

そう言って立ち上がった。つられるように樹も席を立って、トイレに向かった。

その背中に、海人は深々と頭を下げた。

店のトイレは、男女兼用になっていた。樹は個室に入ると鍵を閉めた。

ゆっくりと便箋を取り出し、美羽が書いたばかりの手紙を開いた。

久しぶりに見る娘の字は、樹が知っているそれよりもずっと大人びていた。

十年後の美羽へ

十年後の私は、今日のことを覚えていますか？
変な人たちが現れて、私は今、お父さんとのデート中に、あなたに手紙を書いています。
十年後の私に聞いてみたいことがたくさんあります。

今年は入試だし、今から十年経ったということは
高校もそうだけど、大学、就職……とどんな道を選んで
誰と出会うかなんてわからないことだらけ。
きっと、今の私が思ってもみないような十年があったと思うんだけど
一番聞いてみたいのは
お父さんのこと……
そして、お母さんのことです。

お父さんは、私が生まれたから

自分の人生の一番大切なものを、捨てて生きてるような気がするの。
もし、本当にそうなら、私、本当に申し訳なくて。
私は、お父さんにもお母さんにも幸せになってもらいたいのに、
その邪魔をしているのが私の存在なんだとしたら、
私はどうしたら、二人の邪魔にならずに済むのかな。
どうしたら、二人を仲良くさせることができるのかな。
どうしたら、お父さんに好きなように生きてもらえるのかな。
そんなことを、今はいつも考えています。
十年後の私は、そのことも覚えてるかな。

十年後の私に聞きたい。
私は幸せですか。
お父さんは、お母さんは、幸せですか。
みんな笑っていますか。

書いてて気づきました。

それ、私が今から実現していくしかないんだね。
それが、お父さんとお母さんの子どもとして生まれた私の役目なのかなって思います。

むずかしいかもしれないけど
やってみます。
十年後にみんなで笑い合うために

See you then.
Miu

あの、白ずくめの青年が言ったことは本当だった。
読む人のことを大切に思って書いた愛に溢れる手紙は、読む人に怒濤の如く愛を放つ。
その愛が、読む人の心を打つ。
樹は、しばらく立ち上がれなかった。
そして、まさにその日、美羽の手紙を読んだその瞬間から、樹の新しい人生が始まった。

そう、愛に溢れる手紙には、人生を変えてしまう力があった。

綺麗な女性へと成長した娘に一歩ずつ近づきながら、樹は十年前のあの日から今日までの出来事を思い起こしていた。

美羽の願いもむなしく、あのあとすぐに、樹は妻と離婚してしまった。

そのことで美羽を悲しませてしまっただろうが、それをきっかけに樹は会社も辞めた。プロゴルファーとしての夢も完全に絶ち切った。

そして、新たな道として選んだのは、ラーメン屋だった。まず、アルバイトとして雇ってもらい、ひたすら修業に没頭し、三年で独立した。

研究に研究を重ねてつくり上げた味は、瞬く間に評判になり、それから二年で二号店を出し、現在は国内に三店舗、海外に二店舗の計五店舗を出すまでになった。

自分が新しい道を歩き出したこと、そして、精一杯生きているということ、それは美羽のおかげなんだということを伝えたくて、店の名前は『美羽亭』にした。

店の名が知られるようになれば、いつか美羽の目にも留まり、樹の思いが伝わるんじゃないかと、一心不乱に働き続けた。

もちろん、そのことを美羽が知っているかどうかは、樹にはわからない。

ただ、今となっては、父親としてできることは、養育費を送り続けること、誕生日とクリスマスに贈り物を贈ること、そして、いつか美羽がそれを知ったときのために、「美羽のおかげで、自分は素晴らしい人生を手にすることができた」という証をつくり続けること。

この三つしかないと思ってやってきた。それも、「十年間」で達成すること。

そう、あの手紙を、もう一度美羽に渡すその約束の日まで、どこまで行けるか、自分に賭けてみることにしたのだ。

そのときは、自分が父親になれたのはお前のおかげだという言葉を直接伝えよう。それが言える父親になるんだ。その思いだけで、この日まで頑張ってきた。

美羽が自分に気づいて、こちらを振り返るのがわかる。微笑みかけてみる。

美羽が笑っている。樹はこみ上げてくる涙を堪える。

「お父さん!」

美羽の声が聞こえた。

樹は思わず早足になった。

＊＊＊

「お父さん！　来てくれたのね」

樹は首を振った。

「そうじゃない。父さんは中に入ることはできない」

「じゃあ、なんで……」

「これを、お前に渡しに……」

樹はスーツの内ポケットから、一通の手紙を取り出した。

差し出されたその手紙を、美羽は恐る恐る受け取った。

「何？　これ」

樹は微笑んだ。

「私の人生を救ってくれた手紙だ」

樹の瞳から涙がこぼれた。

「え？」

美羽は訳もわからず、手紙と樹の顔を交互に見た。

「美羽、お前にはつらい思いをさせたな。本当にごめんな」

美羽は無言で首を横に振った。みるみる涙が溢れ止まらなくなっている。

充はそこに立ち尽くして、二人のやりとりを呆然と見るばかりだ。

披露宴会場にいる人たちからは、開け放たれた扉の脇に新郎がポツンとひとりで立っているように見える。大きな拍手も次第にしぼみ始め、新婦が見えないことに、ざわめき出した。

式場のスタッフが慌てて扉を閉めた。

司会者が気を利かせて、アナウンスを入れた。

「新婦の準備がまだのようでしたので、もうしばらくお待ちくださいませ」

樹は、涙をぬぐいながら言った。

「それは、十年前に、美羽が十年後の自分に宛てて書いた手紙だ。忘れてしまったかもしれないが、表参道のカフェで書いたんだ」

美羽は手紙を見ながら、つぶやいた。

「そんなことが、あったかも……」

「ああ、あったんだよ。父さんが学校の先生をやっているときに書いた手紙を届けに、白ずくめの男が二人やってきて……」

「うん！　あった、そんなこと」

美羽ははっきりと思い出した。

「そのとき、美羽が書いた手紙だ。父さんは、あの配達してきた人に強く促されて、いけないことだとは知りつつ、それを読ませてもらった。そして、その瞬間に、自分がいかにダメな父親だったか、気づいたんだ。どれだけお前につらい思いをさせてきたかもな」

「もういいよ、そんなこと。それよりまた会えて嬉しい」

「ああ、ありがとう。でも、どうしても伝えなければならないことがあって、この十年、頑張ってきたんだ。それだけは言わせておくれ」

「何？」

「父さんは、美羽が生まれてきてくれたおかげで、幸せな人生になったよ。すべて、お前のおかげだ。ありがとう」

最後のほうは声にならなかった。美羽も言葉に詰まり、思わず樹に抱きついた。

父と娘はしばらくそのまま抱き合って、涙を流し続けていた。

横で見ている充の目にも涙が浮かんでいる。

「さあ、もう行きなさい。素敵な旦那さんが待ってる」

美羽はコクリとうなずいた。

「綺麗になったな、美羽。父さんの自慢の娘だ」

美羽はまたうなずいた。

樹は美羽の手を取ると、その手をしっかりと充の手に預けた。

そして、

「この子は、とても優しい子です。私はこの子がいたからこそ、今まで生きてくることができました。娘をよろしくお願いします」

そう言って、深々と頭を下げた。

充も頭を下げた。

「よろしいでしょうか？」

式場のスタッフが恐る恐る声をかけた。

美羽と充は涙をぬぐった。

美羽は大きく深呼吸をひとつすると、

「はい」

と力強く答えた。

再び扉が開かれた。

先ほど以上に大きな拍手に包まれながら、二人が披露宴会場に入っていく後ろ姿を、樹は涙を流しながら見つめていた。


〈終〉

新版　あとがき

二〇一五年に出版された「株式会社タイムカプセル社」。物語の中身をいくつか修正して新版として生まれ変わりました。

言葉の「重さ」は常に同じではありません。

誰がどうやって伝えるかによって言葉の重みが変わるのはもちろん、同じ人であってもそれを伝えるために費やされた時間や労力によって「重さ」は変わります。もちろん費やされた時間や労力が増えるほどに「重さ」を増すのです。

例えば、遠く離れた友人が入院したと知ったら、メールで「大丈夫か?」と送るより、手紙で「大丈夫か?」と心を込めて書いた方が、受け取る側は、そこに費やしてくれた時間と想いの分だけその言葉に「重さ」を感じるでしょうし、さらには距離をものともせず会いに来てくれて、直接「大丈夫か?」と声をかけられたら、同じ一言でもその友人は涙を流してその行為に感謝し、一生忘れない恩を感じるでしょう。たった一言のためにどれだけ時間や労力をかけられるかで、伝わる思いは変わるのです。

そう考えると「想い」を伝えるのは「言葉」ではなく「行動」だと言えます。

地球上のどこにいる相手にも、リアルタイムでしかも無料でメッセージを届けられるという時代だからこそ、ゆっくりと時間をかけて相手のことを思いながら手紙を書いたり、直接足を運んでそれを伝えるという行動が人の心に響く時代であるとも言える。

そういう時代に僕たちは生きています。


この作品が出版された二〇一五年は、僕が作家としてデビューして十年目に当たる年でした。

十年という年月は、取り巻く環境や居場所を大きく変えるに十分な期間です。とりわけ、十五歳から二十五歳という十年間は、誰にとっても十年前は想像すらつかない場所に辿り着く変化がある十年間でしょう。順風満帆の十年間だったという人もいれば、波乱万丈の十年だったという人もいる。

十年の時を超えて届けられる、かつての自分からの手紙。

今の自分を取り巻いている、あんなことやこんなことを知るはずもない、かつての自分からの手紙は、受け取る人にとっては苦しいことなのかもしれませんが、同時に、わざわざ届けることで生まれた「重さ」が、それぞれの人生にとっては大切な変化を生むのではないかと思います。特に、苦しみの中にいる人にとっては。

それでは今から十年後、あなたはどこで何をしているでしょうか。

誰と出会って、どう展開していくかまったくわからない未来の日々。

努力の対価として、欲しいものを得る日もあるでしょうし、自分の行為とは無関係に世界で起こる変化に、予定の変更を余儀なくされることもあるでしょう。思ってもみなかったチャンスが舞い込むこともあれば、絶望を感じるような日もあるかもしれません。ただ、どれほど大きな挫折を経験しても忘れてはいけないこと。

それは「人生は何度だって、どこからだってやり直せる」ということ。

そして、立ち直るきっかけをくれるのはいつも「重さ」をもった誰かの言葉です。

そんな言葉をくれる誰かがいてくれるだけで、何度転んでもその度に立ち上がり、どん底に落ち込んでも這い上がることができます。

そういう存在を「友」と言うのかもしれませんが、もしそうなら「本」は「最良の友」になることができます。著者はそれまでの人生のすべてを使って学んだことを「著書」の中に記しています。想像してみてください。普段SNSなどで日々情報を発信している人でも、いざ、本を出すとなれば「これまでの中で一番いい内容を」と思うはずです。「一番のとっておきの学びは置いておいて」とはならない。

よく「一冊書くのにどれくらいかかりますか？」と質問されますが、一冊の本を書くためには、人生でこれまで経験してきたすべてが必要なのです。だから今なら「五十一年」としか答えようがない。それだけ、本の言葉には「重さ」があるのです。だからもし、人生のどこかで転んだり、どん底に落ちたり、どうしていいかわからなくなってしまうようなことがあって、誰にも相談できず一人で苦しんでいるなら、本屋にいくといい。立ち直るきっかけをくれる「重さ」をもった言葉が詰まった本がそこにはたくさんあって、あなたに読まれるのを待っています。

本を読むことは、自分の中に「友」を持つということです。

でも、自分の中にある「問い」に対して、実際の著者が「答え」を教えてくれるわけではありません。その本を読むことによって自分の中に生まれた著者の像が「答え」を教えてくれる。

「この人だったら、こう言ってくれるだろう」と考えることができるようになるということです。相談相手としては、実際の他者よりも、自分の中に作り上げた他者の方が適している場合がたくさんあります。

それに、人はいつも聞いている言葉に影響を受けて「性格」を作っていきます。そして、圧倒的に一番聞いているのは「自分」の声です。だから想像の中の偉人であれ、なんであれ、自分の中だけで続けられている会話、そこから聞こえてくる「言葉」を変えれば、性格が、そして人生が変わっていくのです。

これからもいろんな人の「重さ」をもった「言葉」と出会うべく、読書を続けてみてください。

この本が気に入ったのならば、実際に十年後の自分に向けて、心を込めて手紙を書いてみるのもいいかもしれません。きっと十年後のあなたを救う「重さ」がそこに生まれるはずです。

二〇二二年三月　　喜多川泰

株式会社タイムカプセル社　十年前からやってきた使者　新版

発行日　2022年 4 月25日　第1刷
　　　　2022年10月20日　第3刷

Author　喜多川泰

Illustrator　tounami
Book Designer　千葉優花子 (next door design)

Publication　株式会社ディスカヴァー・トゥエンティワン
〒102-0093　東京都千代田区平河町2-16-1 平河町森タワー11F
TEL　03-3237-8321（代表）　03-3237-8345（営業）
FAX　03-3237-8323　https://d21.co.jp/

Publisher　谷口奈緒美
Editor　藤田浩芳　橋本莉奈

Sales & Marketing Group
蛯原昇　飯田智樹　川島理　古矢薫　安永智洋　青木翔平　井筒浩　王廳　大崎双葉　小田木もも
越智佳南子　小山怜那　川本寛子　工藤奈津子　倉田華　佐藤サラ圭　佐藤淳基　庄司知世　杉田彰子
副島杏南　滝口景太郎　竹内大貴　辰巳佳衣　田山礼真　津野主揮　野﨑竜海　野村美空　廣内悠理
松ノ下直輝　宮田有利子　八木眸　山中麻吏　足立由実　藤井多穂子　井澤徳子　石橋佐知子　伊藤香
葛目美枝子　鈴木洋子　町田加奈子

Product Group
大山聡子　藤田浩芳　大竹朝子　中島俊平　早水真吾　小関勝則　千葉正幸　原典宏　青木涼馬
伊東佑真　榎本明日香　大田原恵美　越野志絵良　志摩麻衣　舘瑞恵　中西花　西川なつか　野中保奈美
橋本莉奈　林秀樹　牧野類　三谷祐一　村尾純司　元木優子　安永姫菜　渡辺基志　小石亜季　中澤泰宏
森遊机　伊藤由美　蛯原華恵　千葉潤子　畑野衣見

Business Solution Company
小田孝文　佐藤昌幸　磯部隆　野村美紀　南健一　高原未来子　藤井かおり

IT Business Company
谷本健　大星多聞　森谷真一　堀部直人　宇賀神実　小野航平　林秀規　日髙顕一郎　馮東平　福田章平

Corporate Design Group
塩川和真　井上竜之介　奥田千晶　久保裕子　田中亜紀　福永友紀　山田諭志　池田望　石光まゆ子
齋藤朋子　俵敬子　丸山香織　宮崎陽子　阿知波淳平　近江花渚　菅海志　仙田彩花

Proofreader　文字工房燦光
DTP　株式会社RUHIA
Printing　中央精版印刷株式会社

ISBN978-4-7993-2841-5